GUIDE DE PRÉSENTATION DES MÉMOIRES ET THÈSES

Chantal Bouthat

Décanat des études avancées et de la recherche

Maquette de la couverture:
Centre de graphisme et d'éditique de l'UQAM

Guide de présentation des mémoires et thèses

Dépôt légal: 3ᵉ trimestre 1993   ISBN 2-89276-119-0
Bibliothèque nationale du Québec   Imprimé au Canada
Bibliothèque nationale du Canada

TABLE DES MATIÈRES

Citer des documents électroniques

Au fil des ans, plusieurs étudiants et étudiantes m'ont demandé où trouver de l'information sur la façon de citer les *documents électroniques,* notamment ceux publiés sur le Web. De leur côté, les bibliothécaires de référence de l'UQAM recevaient des demandes du même type.

Afin de répondre adéquatement à ces requêtes, mes collègues du Service des bibliothèques, Lisette Dupont et Denis Rousseau, et moi-même avions fait un travail détaillé sur la présentation des références aux documents électroniques. Le texte, intitulé *Zoom sur les références aux documents électroniques,* avait été publié dans le bulletin du Service des bibliothèques, *Bilblio.Clip* (no 25, janv.-août 1999, p. 3-6), réimprimé, mis à jour et largement distribué. On le trouve aujourd'hui, en format pdf, dans les documents archivés sur le site des Bibliothèques :

http://www.bibliotheques.uqam.ca/informations/Biblioclip/BC25.pdf   (consulté le 02-07-2008)

On peut lire des recommandations analogues dans le tutoriel *InfoSphère,* toujours sur le Web des Bibliothèques. On consultera, en particulier, le module 7. Évaluer et citer ses sources > Citer ses sources > Présenter sa bibliographie, à l'adresse suivante :

http://www.bibliotheques.uqam.ca/InfoSphere/sciences_humaines/module7/citer3.html

Utiliser EndNote

Une section du module 7 d'*InfoSphère* traite de l'utilisation du logiciel de gestion de références bibliographiques EndNote. Pour ceux et celles qui n'utiliseraient pas encore ce logiciel, voici le lien vers une documentation très complète sur le sujet, préparée par le personnel des Bibliothèques de l'UQAM :

http://www.bibliotheques.uqam.ca/procite/index.html   (Sommaire)

Personne ne devrait plus avoir à saisir au complet la bibliographie de son mémoire ou de sa thèse, puisqu'il est possible d'importer ses références et de les présenter adéquatement en utilisant des fichiers de style. Le Service des bibliothèques a préparé un fichier de style qui respecte les normes de présentation des notices bibliographiques extraites du *Guide* : le Style UQAM. On s'assurera d'utiliser la dernière version du fichier, qui est mis à jour périodiquement.

http://www.bibliotheques.uqam.ca/procite/outils_endnote.html   (Ressources EndNote)

Chantal Bouthat
2 juillet 2008

AVANT-PROPOS

Voici le *Guide de présentation des mémoires et thèses*, que plusieurs attendaient avec une impatience justifiée. Si ce guide a été long à venir remplacer la brochure parue en 1986 et maintenant épuisée, c'est que sa conception et sa rédaction ont demandé du temps. Il s'agit, en effet, d'un nouveau livre et non d'un document révisé. On y retrouve, bien sûr, quelques-unes des règles décrites dans le texte de 1986, mais là s'arrête la parenté entre les deux ouvrages.

D'une édition à l'autre, le volume d'information a presque quintuplé, et la matière *neuve* représente près de quatre-vingt pour cent du texte actuel. Nous y avons, entre autres, ajouté une section sur la langue et le style des mémoires et thèses, un chapitre théorique sur la référence et la bibliographie, puis un second, composé d'exemples de notices bibliographiques variées et, enfin, des appendices qui rassemblent une trentaine de pages modèles tirées des différentes parties du mémoire et de la thèse. Nous avons couronné le tout d'un index détaillé, sans lequel aucun ouvrage de référence ne saurait être complet; ainsi, les étudiants et les étudiantes pourront se servir du guide comme d'un aide-mémoire et le consulter aisément de façon ponctuelle.

Quant aux changements proposés, ils tiennent compte des nouvelles pratiques dans le domaine de la rédaction et de l'édition scientifique et technique, et de l'usage généralisé du micro-ordinateur dans la rédaction finale des mémoires et thèses.

Bien que certaines règles, surtout bibliographiques, puissent varier selon les disciplines, nous avons, dans tous les cas, privilégié celles qui simplifiaient le repérage, clarifiaient et uniformisaient la présentation, et augmentaient la lisibilité, tout en respectant les usages tant typographiques que grammaticaux du *français*.

Voici quelques exemples de ces choix.

- Nous demandons maintenant de taper le mémoire ou la thèse à un interligne et demi (et non plus à double interligne). Cette pratique ne nuit pas à la lisibilité et elle permet divers types d'économies.

- Nous recommandons, également, l'usage de la numérotation pseudo-décimale pour classer les diverses parties du texte et leurs subdivisions; nous la conseillons aussi pour les tableaux et figures. Elle a l'avantage de simplifier considérablement le repérage et la référence.

- De même, nous recommandons de placer les références bibliographiques *dans le texte*, en utilisant les noms des auteurs et les dates de publication, entre parenthèses, et de présenter les notices bibliographiques complètes à la fin du mémoire ou de la thèse. Cet usage est de plus en plus répandu, tant dans les sciences humaines que dans les sciences pures et appliquées.

- Nous suggérons, aussi, de placer les notes à la fin du mémoire ou de la thèse, surtout si elles sont longues et nombreuses.

Avant de refaire le texte, nous avons consulté les guides actuellement en vigueur dans les universités suivantes: Montréal, Laval, Sherbrooke et Concordia.

Nous avons également pris connaissance des meilleurs ouvrages de rédaction et guides de méthodologie publiés au Québec et aux États-Unis au cours des cinq dernières années.

De plus, nous avons tenu compte des commentaires, recommandations et documents recueillis dans divers départements de l'UQAM et examiné un échantillon de mémoires et de thèses représentant tous les secteurs de l'Université.

Nous ne prétendons pas pour autant avoir fait un ouvrage exhaustif ni résolu tous les problèmes de ceux et celles qui sont en rédaction de mémoire et de thèse. Nous croyons seulement que le texte actuel répondra à bon nombre de leurs questions et hésitations. Nous savons par ailleurs qu'un ouvrage de ce genre est toujours perfectible et qu'il doit, de par sa nature, être fréquemment mis à jour. Nous comptons donc sur ceux et celles qui l'utiliseront au cours des prochaines années pour nous aider à l'améliorer dans ses éditions subséquentes.

Nous tenons à remercier les secrétaires du Service des publications et du Décanat des études avancées et de la recherche qui nous ont aidé aux multiples étapes de la rédaction et de la mise en forme du présent guide: mesdames Claudette Bibeau, Rollande Cordeau-Sansoucy, Sylvie Boulet et , surtout, Louise Bonin. Sans leur ténacité et leur ingéniosité face à un outil trop souvent récalcitrant, et sans leur patience devant nos nombreux remaniements, l'ouvrage n'aurait jamais vu le jour.

Nous remercions, aussi, monsieur Claude Hamel, doyen-adjoint au DEAR jusqu'en juin 1992, qui a défendu le projet dans sa forme actuelle, la doyenne-adjointe, madame Lise Carrière, et le doyen, monsieur François Carreau, qui, pour leur part, ont eu la délicatesse d'attendre notre texte malgré des pressions diverses, nous permettant ainsi de lui donner la qualité à laquelle nous tenions tant.

Chantal Bouthat
Mai 1993

CHAPITRE I

RECOMMANDATIONS GÉNÉRALES

1.1 RESPONSABILITÉ DE LA CANDIDATE OU DU CANDIDAT

L'auteure ou l'auteur d'un mémoire ou d'une thèse est entièrement responsable de la version finale de son travail. Si elle ou il confie la saisie et la mise en page du texte à une autre personne, elle ou il doit par conséquent lui faire connaître les règles décrites dans le présent ouvrage, s'assurer qu'elles ont été suivies et voir à ce que les corrections demandées soient faites. La candidate ou le candidat qui ne se conforme pas aux règles devra reprendre son texte et s'exposera donc à un retard dans l'obtention de son diplôme.

1.2 CONTENU DU DOCUMENT

Le mémoire et la thèse doivent comporter les *cinq parties* énumérées ci-dessous et présenter chacune de leurs composantes dans l'ordre proposé, même si certaines subdivisions sont omises.

a) Les pages liminaires :
- La feuille de garde (blanche);
- La page de titre;
- Les remerciements (s'il y a lieu);
- L'avant-propos (incluant parfois les remerciements);
- La table des matières;
- La liste des figures (s'il y a lieu);
- La liste des tableaux (s'il y a lieu);
- La liste des abréviations, sigles et acronymes (s'il y a lieu);
- La liste des symboles (s'il y a lieu);
- Le résumé;
b) L'introduction;
c) Le développement;
d) La conclusion;

e) Les pages annexes:
   - Les appendices (s'il y a lieu);
   - Les notes et références (si on les place à la fin du document);
   - Le glossaire ou le lexique (s'il y a lieu);
   - La bibliographie ou la liste des références;
   - La feuille de garde (blanche).

1.3 LANGUE D'USAGE

Le mémoire et la thèse doivent être rédigés *en français*, sauf si on a été autorisé, au moment de son admission, à écrire son texte dans une autre langue. Dans ce dernier cas, on doit exposer les idées maîtresses et les conclusions de son travail dans un résumé d'au plus 400 mots, rédigé en français, qu'on placera immédiatement avant le résumé rédigé dans la langue étrangère choisie. Les phrases, bien structurées, doivent respecter rigoureusement les lois de la syntaxe, de l'orthographe, de la ponctuation et de la typographie française. Par ailleurs, afin que le texte satisfasse aux normes de la lisibilité, on accordera une attention particulière au style.

1.4 STYLE DU MÉMOIRE ET DE LA THÈSE

Le mémoire et la thèse sont des *communications de type technique et scientifique*, dans lesquelles la langue est utilisée dans le seul but de communiquer des informations de la façon la plus efficace qui soit. On optera donc pour un *style simple*, *clair* et *précis*. On se méfiera, justement, de la tentation de «faire du style», qui donne souvent des phrases ronflantes et creuses. On se rappellera, aussi, que le *ton* général du document doit rester *impersonnel* et *objectif*. Pour exposer sa démarche ou sa position sur un sujet donné, on utilisera le «nous» de politesse plutôt que le «je». De plus, on veillera à éliminer de son texte toute trace d'émotivité, de familiarité, de sensationnalisme, etc.: la thèse et le mémoire ne sont ni des oeuvres de fiction, ni des essais polémiques, ni des pamphlets.

Nous allons donner ci-dessous quelques recommandations relatives à la *phrase* et au *vocabulaire*. Le candidat ou la candidate pourra y revenir comme à un aide-mémoire au cours de la rédaction et de la relecture de son texte. Pour tout problème de langue, on voudra bien se référer aux dictionnaires généraux et spécialisés et aux grammaires de la langue française ainsi qu'aux vocabulaires et aux lexiques reconnus dans sa discipline.

1.4.1 Recommandations relatives à la phrase

Pour éviter d'alourdir et d'embrouiller ses phrases, on se méfiera, entre autres, des pièges que nous allons énumérer ci-dessous.

- L'emploi systématique d'adverbes et d'adjectifs qui marquent l'exagération et qui n'ajoutent souvent rien d'essentiel à la compréhension du texte:

  extrêmement, terriblement, fortement, etc.

- Les pléonasmes, qui consistent à exprimer plus d'une fois la même idée dans une même phrase, le sens du second terme étant déjà contenu dans le premier:

  se lever debout, collaborer ensemble, s'entraider mutuellement, une première priorité, un hasard imprévu, etc.

- Les tournures passives, qui, en plus d'alourdir la phrase, rappellent l'anglais:

  La question a été posée de savoir s'il était approprié...
  Il a été dit que des mesures d'urgence devraient être prises...

- Les expressions négatives ou dubitatives:

  Nous ne sommes pas sans savoir que...
  Est-il nécessaire de se rappeler que...

- Les enchâssements trop longs, qui séparent indûment le sujet du verbe ou le verbe du complément:

  On peut dire que l'UQAM fait une fois de plus, en confiant au vice-recteur associé à l'enseignement et à la recherche le mandat d'identifier des pistes de solutions, figure de chef de file.

  Les premiers résultats, bien que nous nous soyons assuré de la représentativité de notre échantillon d'origine, se sont révélés peu concluants en ce qui a trait...

- L'abus de clichés, qui sont des expressions toutes faites, souvent répétées par les médias, qu'on reprend sans trop penser à ce qu'on dit:

  bain de sang, sommes astronomiques, activité intense, etc.

Par souci de lisibilité, on évitera les paragraphes trop denses en découpant le texte à l'aide d'*alinéas* et en utilisant des *phrases de transition* pour passer d'une idée à une autre. De plus, on fera un usage judicieux des «mots outils», conjonctions, prépositions, locutions conjonctives ou prépositives, qui établissent les rapports logiques entre les diverses parties de la phrase et permettent ainsi au lecteur de savoir s'il aura affaire, par exemple, à une *cause* (parce que, puisque, attendu que, vu que...), à une *conséquence* (de sorte que, si bien que, à tel point que...), à un *but* (pour que, afin que, en vue de, de façon à...), etc. De la même manière, on aura recours aux *charnières*, expressions ou formules qui unissent les phrases entre elles et relient les différentes subdivisions du texte. Elles servent principalement:

- À introduire un énoncé et à annoncer la suite;
- À lier deux phrases en précisant le type de rapport logique qui existe entre elles;
- À rappeler ce qui a été dit précédemment et, implicitement, à faire le lien entre cette partie de l'exposé et ce qui va suivre;
- À marquer la fin d'un raisonnement, d'un exposé, de l'étude entière.

Ces charnières sont autant de jalons qui permettent au lecteur d'anticiper avec justesse la suite de notre discours et de suivre avec aisance la progression de notre raisonnement[1].

Pour clore cette série de recommandations sur la phrase, rappelons qu'il est essentiel de *bien ponctuer* son texte; la ponctuation, utilisée avec mesure et exactitude, ajoute à la rigueur et à la clarté du texte. Pour qui voudrait rafraîchir ses connaissances et même corriger certaines lacunes, nous conseillons la lecture des pages consacrées à la ponctuation dans l'ouvrage d'Hélène Cajolet-Laganière[2]: celles-ci constituent un excellent résumé du sujet.

---

[1] Pour plus de détails sur les mots outils et les charnières, voir Hélène Cajolet-Laganière, Pierre Collinge et Gérard Laganière, *Rédaction technique et administrative*, 2e éd. rev. et augm., Sherbrooke, Éditions Laganière, 1988, p. 109-130 et 150-158. Nous recommandons d'ailleurs la lecture de tout le chapitre trois de cet ouvrage à quiconque possède déjà bien sa langue, veut rafraîchir certaines notions et acquérir des habiletés de rédaction.

[2] *Ibid.*, p. 159-176.

1.4.2 Recommandations relatives au vocabulaire

Sur le plan du *vocabulaire*, on évitera avant tout les *impropriétés*, qui consistent à confondre le sens des mots.

L'impropriété se manifeste de diverses manières. Par exemple, on utilisera pour exprimer une idée un mot qui ne convient pas, mais qu'on substitue au mot juste par homophonie:

stage, période d'études, de formation, de perfectionnement, plutôt que *stade*, étape distincte d'une évolution, d'un phénomème, d'une expérience...;

inclination, action d'incliner le corps ou la tête, plutôt qu'*inclinaison*, état de ce qui est incliné (en parlant d'une pente, d'une courbe, p. ex.).

On peut, par ailleurs, déformer une forme admise:

infractus, plutôt qu'*infarctus*;
rénumération, plutôt que *rémunération*.

On peut, aussi, utiliser un mot qui n'existe pas dans les dictionnaires, en créant par exemple une verbe sur le modèle d'un nom de la même famille:

prioriser (d'après *priorité*), plutôt que *hiérarchiser* (les demandes, les idées...) ou *classer* (les priorités).

On peut, enfin, donner une extension abusive à certains mots, en faisant par exemple d'un adjectif une locution conjonctive:

dépendant de, plutôt que *selon ce que*, *d'après ce que*.

En second lieu, on évitera les *anglicismes*, qui sont des mots, des expressions ou des constructions empruntés à la langue anglaise. Certains emprunts, qui désignent un phénomène, un concept ou un objet nouveau, sont utiles si on n'a pas trouvé d'équivalents français acceptables. D'autres, fort nombreux ceux-là, sont à proscrire parce qu'ils entrent en compétition avec des termes français existants et n'ajoutent rien à la réalité que ces derniers expriment. C'est le cas, par exemple, du mot *sponsor*, que le jargon technico-administratif substitue de plus en plus à «commanditaire»! Il existe chez nous d'excellents ouvrages spécialisés répertoriant les anglicismes tant lexicaux que grammaticaux: il ne faut pas hésiter à les consulter fréquemment.

On fera également un usage éclairé des *néologismes*. On appelle ainsi un mot nouvellement créé, ou encore un mot existant mais auquel on donne un sens nouveau, pour désigner une réalité nouvelle. Pensons, par exemple, dans le contexte québécois, aux termes «sans-abri» et «itinérants», que l'on a substitués à «clochards» pour désigner ce groupe d'individus d'âges, d'origines et de statuts variés, qui hantent de plus en plus nombreux nos grands centres urbains. En matière de néologisme, on essaiera de ne pas céder à la mode ou à la facilité. On proscrira donc, autant que possible, les néologismes qui ne sont pas reconnus par un organisme officiel.

Pour ce qui est du *vocabulaire de sa discipline ou de sa spécialité*, on consultera, comme nous l'avons mentionné, les ouvrages ou les banques terminologiques reconnus. Il est important d'uniformiser ce vocabulaire et d'utiliser toujours le même mot pour désigner la même notion ou le même objet. On évitera donc de remplacer un terme spécialisé par un ou plusieurs synonymes et de passer de l'un à l'autre indifféremment.

1.5 RÈGLES GÉNÉRALES DE PRÉSENTATION DU TEXTE

1.5.1 Caractères, interlignes et justification

On utilisera les caractères *romains* (droits) pour l'ensemble du texte, de *style* classique et dont le *corps* se situe entre 9 et 11 points. On ne recourra aux caractères *italiques* que pour faire ressortir un mot ou une expression (*voir* sect. 5.1).

Le texte du mémoire ou de la thèse doit être écrit au recto des feuilles seulement, à *un interligne et demi*, les alinéas étant séparés par un interligne double. On utilise cependant l'*interligne simple* pour le résumé, les diverses listes, les sommaires de chapitres, les citations en retrait, les notes, les références hors texte, la bibliographie et le glossaire; les éléments qui composent ces divers blocs d'information sont par ailleurs séparés les uns des autres par un interligne double. Pour ce qui est des appendices et des tableaux, l'interligne peut varier selon la nature et le contenu du document.

On peut commencer chaque alinéa par un *renfoncement*: on le fera alors de six frappes. Par ailleurs, si l'on désire *justifier* son texte à droite, c'est-à-dire l'aligner parfaitement à la marge droite comme il l'est à la marge gauche, on s'assurera au préalable que le traitement de texte utilisé permet l'espacement proportionnel.

C'est la seule façon d'éviter des «blancs» disproportionnés entre les mots et de séparer indûment, par exemple, un chiffre et le symbole qui le suit. Dans le cas contraire, on laissera le texte *non justifié* à droite.

1.5.2 Marges et pagination

Les *marges* de gauche et du haut de la page sont de 4 cm, celles de droite et du bas étant de 3 cm. On doit également respecter ces marges sur les pages qui comportent des tableaux ou des figures et sur toutes les pages annexes (*voir* app. B et C, p. 84-88 et p. 90-96).

On ne pagine pas les *belles pages* (page de titre, première page du résumé, de l'avant-propos, de la table des matières, de l'introduction, de chacun des chapitres, etc.), bien qu'elles soient comptées dans la pagination.

On pagine en *chiffres romains* (en utilisant des lettres minuscules) toutes les *pages liminaires*, la page de titre étant la première page comptée; on pagine en *chiffres arabes*, de 1 à *n*, le reste du texte, soit de l'introduction à la dernière page du document.

On place les *folios* (numéros des pages) dans le coin supérieur droit, à 3 cm du bord supérieur et du bord droit des feuilles. Aucun trait, aucun point, aucune parenthèse ou autre signe ne doit accompagner le chiffre; de la même façon, il ne doit y avoir ni points de suspension ni trait oblique au bas des pages.

1.6 NOMBRE ET QUALITÉ DES EXEMPLAIRES DÉPOSÉS

Sauf indication contraire, on déposera *cinq exemplaires* de son texte (six, par ailleurs, s'il y a eu codirection).

Tous les exemplaires doivent évidemment être impeccables; de plus, les marges de l'original doivent être respectées sur les copies. Avant toute reproduction, on s'assurera que l'original ne contient ni griffonnage, ni rature, ni correction à l'encre, ni erreur typographique. Le *papier de l'original* et *des copies* (y compris celui des appendices) doit être blanc, opaque, de bonne qualité et désacidifié; de plus, il doit ne comporter aucun cadre et avoir des dimensions uniformes (21,6 cm sur 28 cm).

Pour obtenir une bonne reproduction, il faut que, dans l'original, les *caractères* soient nets et facilement lisibles. On choisira donc un *style* de caractères classique, comme le Times ou l'Helvetica, dont le *corps* (la hauteur) se situe entre 9 et 11 points, et dont la *graisse* (épaisseur du trait) est moyenne. On évitera, de plus, de composer les notes infrapaginales en trop petits caractères: jamais au-dessous des 7 ou 8 points, selon le style choisi. On se gardera, également, d'abuser des caractères gras et des italiques. Enfin, on choisira une *imprimante* qui permette d'obtenir une qualité d'impression et de reproduction supérieure: de préférence une imprimante «laser»; autrement, une imprimante à points qui donne la qualité «lettre». On veillera à ce que le dosage de l'encre soit impeccable, dans le premier cas, et à ce que le ruban soit neuf, dans le second.

Une fois l'évaluation et les corrections terminées, l'original et une copie d'excellente qualité, destinés au microfilmage et au dépôt à la bibliothèque, doivent être présentés non reliés, non perforés, non pincés et non pliés. Les autres exemplaires seront placés sous une couverture cartonnée ou plastifiée amovible, sur laquelle on collera une étiquette identifiant le travail et son auteur ou auteure.

Une thèse de plus de 400 pages devra être reliée en deux volumes. La page de titre et la table des matières figureront alors dans les deux volumes -- les mots Volume I et Volume II étant ajoutés sur la page de titre et aux endroits appropriés dans la table des matières.

CHAPITRE II

LES PAGES LIMINAIRES

On appelle *pages liminaires* toutes celles qui viennent en tête d'un ouvrage, donc qui précèdent l'introduction et les chapitres subséquents. Nous les avons énumérées précédemment; nous allons maintenant voir le contenu et la présentation de chacune d'elles.

2.1 LA PAGE DE TITRE

La *page de titre* contient: 1) le nom de l'université; 2) le titre exact de la recherche; 3) la nature du travail et le nom du programme; 4) le nom complet de l'auteur ou auteure (tel qu'il ou elle veut le voir écrit sur son diplôme); 5) le mois et l'année du dépôt (*voir* app. A.1 et A.2, p. 68 et 69).

Le *titre du mémoire* ou *de la thèse* doit être précis et concis (au plus 200 caractères); il doit refléter fidèlement le sujet de la recherche et le point de vue sous lequel on le traite. Il est fréquent qu'on fasse usage du deux-points (:) dans le titre d'un mémoire ou d'une thèse. On se rappellera, toutefois, que cette ponctuation doit, en français, annoncer une énumération ou introduire une explication. Ainsi on écrira:

Réalisation du cas en créole haïtien dans trois environnements: les prépositions, les marqueurs et les noms (énumération)

ou

Récits et actions: Situations textuelles et narratives du roman d'aventures (explication, donc sous-titre qui vient préciser le contenu annoncé par le titre principal).

On évitera par ailleurs le recours aux deux-points entraînant une inversion de phrases (ce qui est un calque de l'anglais). Par exemple: *Le rôle du directeur d'école dans l'intégration des enfants en difficulté au primaire: étude descriptive* plutôt que *Étude descriptive du rôle du...*

Pour décrire la nature du travail, on emploie, selon le cas, les mots *mémoire* ou *thèse*. Quant au *nom du programme*, il doit être exact et complet: on s'informera, au besoin, de son appellation officielle.

Le texte de la page de titre doit être dactylographié en lettres majuscules et parfaitement centré.

2.2 LES REMERCIEMENTS

Lorsqu'on désire présenter des *remerciements*, on le fait de façon brève et discrète en mentionnant: 1) les noms des personnes qu'on désire remercier; 2) leurs fonctions; 3) les établissements pour lesquels elles travaillent; 4) s'il y a lieu, la nature de leur contribution.

Les remerciements doivent être dactylographiés à un interligne et demi.

2.3 L'AVANT-PROPOS

L'*avant-propos* est un texte *facultatif* qu'on ne doit pas confondre avec l'introduction: il n'est pas d'ordre scientifique, alors que l'introduction l'est. L'avant-propos est, essentiellement, un discours préliminaire dans lequel on ne traite pas encore le sujet; on se contente d'y mentionner avec brièveté: 1) les raisons qui ont motivé le choix du sujet étudié; 2) le ou les buts poursuivis; 3) l'envergure et les limites du travail.

Lorsqu'on choisit d'écrire un avant-propos, on inclut les remerciements à la fin de ce texte au lieu de les présenter sur une page distincte. L'avant-propos doit être également dactylographié à un interligne et demi.

2.4 LA TABLE DES MATIÈRES

La *table des matières* doit reproduire fidèlement les numéros d'ordre et les titres des parties, des chapitres et des autres subdivisions du texte. Toutefois, on ne reproduira pas plus de deux niveaux de subdivisions dans la table des matières. On inscrit, à droite des titres et sous-titres, les numéros des pages sur lesquelles ils apparaissent; on peut lier les deux par une série de points.

On fait ainsi figurer dans la table des matières toutes les parties du travail, à l'exception des remerciements et de la table des matières elle-même (*voir* app. A.3, p. 70-72).

La table des matières est dactylographiée à un interligne et demi, en caractères romains, dans le même corps que le reste du texte; si, toutefois, un titre ou un sous-titre court sur plus d'une ligne, il sera tapé à simple interligne. Pour ce qui est de l'usage des majuscules et des minuscules, des alignements, des retraits, etc., on se reportera au modèle présenté en annexe (*voir* app. A.3, p. 70-72).

Plusieurs logiciels de traitement de texte permettent maintenant d'établir la table de matières de façon quasi automatique lorsqu'on code les titres et sous-titres du texte final. Il peut être avantageux d'avoir recours à cette méthode, entre autres pour s'assurer de l'uniformité du texte aux deux endroits.

2.5 LA LISTE DES FIGURES ET LA LISTE DES TABLEAUX

Si le travail comporte des figures ou des tableaux, on doit les recenser sur des pages distinctes et titrées, à la suite de la table des matières. *La liste des figures* et *celle des tableaux* (deux listes distinctes, sauf si le nombre total de tableaux et figures est très limité) doivent indiquer, pour tous les tableaux et figures contenus dans le corps du texte et dans les appendices: 1) le numéro d'ordre (*voir* art. 3.5.1); 2) le titre du tableau ou la légende de la figure non abrégés; 3) la page (*voir* app. A.4 et A.5, p. 73 et 74).

2.6 LA LISTE DES ABRÉVIATIONS, SIGLES ET ACRONYMES

Si, dans le travail, on doit recourir fréquemment à des *abréviations*, des *sigles* ou des *acronymes* (*voir* sect. 5.2), il est préférable d'éclairer le lecteur sur leur signification et de lui éviter des recherches fastidieuses en dressant des *listes exhaustives* des divers assemblages de lettres utilisés.

Pour chacune de ces listes, on présente les abréviations dans l'ordre alphabétique et on décrit brièvement ce qu'elles représentent (*voir* app. A.6, p. 75-76).

2.7 LA LISTE DES SYMBOLES

De plus, si le travail exige le recours fréquent à des *symboles de grandeurs* (*voir* art. 5.3.1), on recensera ces derniers dans l'ordre alphabétique, sous la forme de *deux listes* successives, la première pour les symboles représentés par les lettres de l'alphabet latin, la seconde pour ceux représentés par les lettres de l'alphabet grec. Pour chaque lettre, on présente d'abord la graphie minuscule, puis la majuscule.

Pour chaque symbole, on indique la grandeur qu'il représente et, s'il y a lieu, la ou les unités de mesure utilisées pour chiffrer cette grandeur (*voir* app. A.7, p. 77-78).

2.8 LE RÉSUMÉ

Un bon *résumé* est un texte qui doit donner au lecteur une idée juste du contenu du document ainsi que de l'originalité et de la valeur scientifique de la recherche. Dans un résumé -- condensé de l'ensemble du travail --, on présente: 1) le but, la nature et l'envergure de la recherche; 2) les sujets traités; 3) les hypothèses de travail et les méthodes utilisées; 4) les principaux résultats; 5) les conclusions auxquelles on est arrivé. On n'oublie pas de terminer par une liste de quatre ou cinq mots clés, qui faciliteront la classification du document en bibliothèque et dans les répertoires.

Le résumé compte environ 300 mots dans le cas du mémoire, et 600 à 700, dans celui de la thèse. Il doit être dactylographié à simple interligne.

Chapitre III

INTRODUCTION, DÉVELOPPEMENT ET CONCLUSION

3.1 L'INTRODUCTION

L'*introduction* sert à présenter: 1) le sujet de la recherche, en précisant l'envergure et les limites de celle-ci; 2) l'état de la question et le problème à résoudre qui en découle; 3) les objectifs à atteindre; 4) la méthode utilisée; 5) la démarche adoptée; 6) la structure du document.

L'introduction, en général assez courte, est immédiatement suivie du premier chapitre. Avec l'introduction commence donc la pagination en chiffres arabes du document.

3.2 LE DÉVELOPPEMENT ET SES PARTIES

Le *développement*, normalement divisé en *chapitres*, peut également comporter deux ou trois *parties* regroupant chacune plusieurs chapitres. Ces parties sont différentes selon le type de travail (expérience, questionnaire, revue de la documentation, étude de cas, etc.); nous suggérons donc fortement aux candidates et candidats de consulter les ouvrages spécifiques à leur domaine.

Cela dit, il est possible de formuler quelques recommandations générales. Ces recommandations n'ayant pas toutes la même importance selon la discipline ou le champ d'études, on doit demander à son directeur ou à sa directrice de recherche lesquelles il faut prendre en considération.

a)   La *revue de la documentation* ou l'*état des connaissances* dans le domaine de l'étude ne comprend que ce qui est approprié à la compréhension du problème à résoudre: il est donc inutile de répertorier toutes les théories ou de commenter toutes les lectures qu'on a faites -- sauf, bien sûr, dans le cas des études dont le but est justement de recenser toutes les théories relatives à un problème précis.

b)   Il est important de montrer l'*intérêt du travail* présenté et de mettre en évidence l'*originalité* et la *pertinence des hypothèses* à vérifier, et celles de la méthode de travail utilisée.

c)   On présente d'abord les *résultats* sans commentaire ni explication.

d)   La *discussion* et l'*interprétation des résultats* peut comporter une mise en évidence des résultats importants, une comparaison de ces résultats avec ceux d'autres recherches, l'évaluation des avantages et des désavantages d'une méthode donnée, des indications concernant l'orientation des recherches à venir, etc.

e)   On ne doit introduire dans la discussion aucune donnée nouvelle, c'est-à-dire aucune donnée qui n'ait été présentée et discutée au préalable.

3.2.1 Les chapitres et leurs subdivisions

Chaque *chapitre* repose sur une idée principale, clairement énoncée dès le début, progressivement développée et brièvement résumée à la fin. Le premier paragraphe (l'introduction) et le dernier paragraphe (la conclusion) de chaque chapitre constituent les transitions qui permettent de faire du document global un tout continu.

Les *sections* -- premier niveau de subdivision du chapitre -- reposent, quant à elles, sur des idées secondaires.

Lorsqu'on doit détailler davantage encore, on peut diviser les sections en *articles* (deuxième niveau de subdivision), ces derniers pouvant être constitués de *paragraphes* (troisième niveau de subdivision).

On recommande de s'en tenir à ces trois subdivisions -- notamment pour ne pas alourdir la numérotation (*voir* art. 3.2.2) -- et de recourir aux *alinéas* lorsqu'on a vraiment besoin de détailler un peu plus.

3.2.2 Présentation des titres et sous-titres

Une *partie* commence par une *page de titre* sur laquelle on indique, en majuscules, à environ 12 cm du bord supérieur de la feuille, son numéro d'ordre et son nom (PREMIÈRE PARTIE) et, 2 cm plus bas, son titre, le tout devant être parfaitement centré.

Un *chapitre* commence toujours sur une page nouvelle. On écrit le nom d'un chapitre en majuscules, on le numérote en chiffres romains (CHAPITRE II) et on écrit ce numéro à 5 cm du bord supérieur de la feuille; le titre du chapitre, composé en majuscules, est placé 2 cm plus bas. Numéro et titre doivent être centrés. Le texte du chapitre commence 3 cm au-dessous du titre du chapitre, sauf lorsqu'on présente un *sommaire* du chapitre -- sommaire dactylographié à simple interligne. Dans ce cas, le sommaire commence à 3 cm au-dessous du titre du chapitre et, entre la fin du sommaire et le début du chapitre, on laisse aussi 3 cm (*voir* app. B.1 et B.2, p. 80-81).

On identifie les subdivisions d'un chapitre en recourant à la *notation pseudo-décimale* (2.1, 2.1.2, etc.), plutôt qu'à une combinaison complexe de chiffres romains et arabes, et de lettres majuscules et minuscules, qui n'a plus sa place dans les textes d'une certaine envergure. Seule la notation pseudo-décimale permet un repérage rapide et non équivoque de ces subdivisions et simplifie les références aux diverses parties du texte.

Ainsi, une section est identifiée par deux numéros (2.3: chapitre deux, troisième section), un article par trois numéros (2.5.2: chapitre deux, cinquième section, deuxième article) et un paragraphe par quatre numéros (3.1.4.2: chapitre trois, première section, quatrième article, deuxième paragraphe). Les numéros sont alignés à la marge gauche, suivis d'une ou deux espaces et du sous-titre concerné. Les sous-titres sont en minuscules, avec une majuscule initiale.

3.2.3 Remarques supplémentaires sur la disposition du texte

a)   On ne commence jamais un alinéa à la dernière ligne d'une page, pas plus qu'on n'en termine un à la première ligne d'une page; dans les deux cas, un minimum de deux lignes est requis.

b)   On ne coupe pas un mot à la fin d'une page et on ne coupe pas inutilement les mots à la fin d'une ligne (voir une *grammaire typographique* pour les règles qui régissent les coupes des mots). Si les coupures de mots sont effectuées par un logiciel de traitement de texte, on s'assurera qu'il respecte bien les règles du français en la matière.

c)   Pour une meilleure lisibilité du texte, on laissera *trois interlignes simples* entre la dernière ligne d'un alinéa et un nouveau sous-titre. Si deux sous-titres se suivent, on les séparera par un interligne double. On utilisera également le double interligne entre un sous-titre et l'alinéa qui le suit.

3.3 LES CITATIONS

On doit reproduire une *citation* textuellement, avec la ponctuation originale et les majuscules, et même avec les fautes s'il y en a. Dans ce dernier cas, on peut faire suivre le ou les termes douteux de l'adverbe *sic* (mot latin qui signifie «ainsi»), entre parenthèses.

On insère une *citation courte* (pas plus de trois lignes ou de deux vers) dans le texte même et on la place entre guillemets; s'il s'agit de poésie, on sépare les vers par un trait oblique (/) précédé et suivi d'une espace. On place la ponctuation qui appartient à la citation elle-même avant les guillemets fermants.

On détache une *citation longue* du texte et on la dactylographie -- sans guillemets et à simple interligne -- avec un renfoncement de six frappes par rapport à la marge gauche. Dans la citation elle-même, les alinéas de l'original sont marqués par un renfoncement de quatre frappes et sont séparés par un interligne simple. Par ailleurs, le texte cité est séparé du texte principal par un interligne double. Une *longue citation en langue étrangère* sera placée entre guillemets. Enfin, on retiendra qu'on cite une poésie en respectant sa mise en page originale.

On peut parfois omettre une partie du texte cité pour alléger une citation; on indique alors une *omission de moins d'un alinéa* par trois points placés entre crochets: [...]; on indique l'*omission d'un alinéa ou plus* par une ligne de points de conduite:

....

Il est préférable, enfin, de ne pas présenter une citation sur deux pages.

Si la *référence à l'auteur et à son ouvrage* n'est pas donnée dans le texte qui précède la citation, on doit le faire après celle-ci. On utilisera l'*appel de note* dans le texte et la note de référence ou encore la référence abrégée entre parenthèses, selon que l'on a choisi l'une ou l'autre méthode pour l'ensemble de son mémoire ou de sa thèse (*voir* sect. 3.6). Avec l'appel de note, le *chiffre d'appel* sera placé après la ponctuation finale incluse dans la citation, mais avant les guillemets fermants si la citation est insérée dans le texte principal.

Si la *traduction d'une courte citation en langue étrangère* est nécessaire, on la présente entre parenthèses immédiatement après la citation originale. Par contre, on fait figurer la *traduction d'une citation longue* dans une note. Si l'auteur met la citation traduite dans le texte, un renvoi à la citation originale et à la référence doit être effectué dans la note.

3.4 LES NOTES

Les *notes* permettent d'apporter une explication ou une précision utiles, mais non essentielles, à la bonne compréhension du texte.

Les notes sont appelées dans le texte de façon discrète: le chiffre, sans parenthèses, est placé légèrement au-dessus de la ligne (en exposant si on travaille avec un logiciel de traitement de texte). On place l'*appel de note* immédiatement après le mot concerné, dans une phrase, ou à la fin de la phrase, avant le signe de ponctuation, si la note porte sur cet ensemble. Dans le cas d'une citation entre guillemets, on place l'appel de note immédiatement avant les guillemets fermants; pour une citation hors texte, l'appel vient après la ponctuation à la fin de celle-ci (*voir* sect. 3.3).

Les notes sont placées *soit au bas de la page* où elles ont été appelées, *soit à la fin du document*, après les appendices mais avant le glossaire ou la bibliographie, selon le cas. Lorsqu'une note figure en bas de page, sa longueur ne doit pas dépasser un tiers de page; par ailleurs, puisqu'on doit éviter d'étendre une note sur deux pages, il faut prévoir le nombre de lignes à lui réserver au bas de la page où elle a été appelée.

Nous recommandons de *numéroter les notes* -- et s'il y a lieu les références -- de 1 à *n* à l'intérieur de chaque chapitre. Si elles sont assez *nombreuses* ou *plutôt longues*, il est préférable de les regrouper à la fin du document. Puisque toute note doit commencer sur la page où elle a été appelée dans le texte, l'impossibilité de respecter cette règle amènera l'auteur ou l'auteure du mémoire ou de la thèse à opter pour cette dernière solution (*voir* sect. 4.2).

Les *notes infrapaginales* sont dactylographiées à simple interligne et séparées les unes des autres par un interligne et demi; elles sont séparées du texte par un filet de 4 cm commençant à la marge gauche, précédé et suivi d'un interligne et demi. La note (ou la référence) est précédée de son chiffre d'appel (en exposant); le tout est en retrait de six frappes. Si la note (ou la référence) s'étend sur plus d'une ligne, les lignes suivantes commencent à la marge gauche (*voir* p. 82-83).

3.5 LES ILLUSTRATIONS DU TEXTE

On peut, pour diverses raisons, recourir à une présentation plus visuelle des données sur lesquelles repose un texte. Ainsi, certains types de classifications, de correspondances, d'énumérations répétées, etc. débouchent naturellement sur des présentations à double entrée, qui donnent naissance à des *tableaux*. Par ailleurs, des croquis, des graphiques, des photos, etc., qui illustrent des concepts, des systèmes, des constructions ou autres, sont mieux présentés sous forme de *figures* distinctes que sous forme de vagues schémas intercalés entre deux paragraphes.

Les *illustrations* doivent cependant fournir des renseignements nouveaux, montrer ceux donnés dans le texte sous un angle différent ou les expliciter. On doit toujours se demander si elles sont essentielles, les utiliser à bon escient et les répartir harmonieusement dans le document en évitant de créer un déséquilibre entre elles et ce texte.

Il n'existe que deux types possibles d'appellations des diverses illustrations d'un mémoire ou d'une thèse: *tableau* et *figure*.

3.5.1 Les tableaux

Les *tableaux* sont constitués de *colonnes* et de *rangées*. Les colonnes sont séparées les unes des autres par des espaces suffisamment importants pour que les données se lisent très facilement. Quant aux rangées, elles sont séparées, selon les cas, par des lignes horizontales, des interlignes simples ou des interlignes doubles. Les tableaux ne sont *jamais encadrés*.

Lorsque les tableaux comportent des textes, on évite les phrases longues; pour ce faire, on recourt au style télégraphique. Les nombres en colonnes doivent être alignés verticalement sur les chiffres des unités ou sur les virgules décimales.

En construisant un tableau, on se rappellera qu'il doit être *facilement lisible*; les données y seront donc regroupées -- ou séparées -- selon une logique évidente. On ne doit avoir aucun doute sur le lien entre une *tête de colonne* et les données qu'elle chapeaute, ni sur la corrélation entre le titre d'un rangée et la tête d'une colonne. Les tableaux vont du plus simple au plus complexe: nous en présentons quelques échantillons aux pages 84 à 86.

On *numérote les tableaux* par chapitre à l'aide de la *notation pseudo-décimale*. Un tableau est donc identifié par deux numéros: 1) le numéro du chapitre auquel il appartient; 2) son numéro d'ordre dans le chapitre. Ainsi, le tableau 2.4 est le quatrième tableau du chapitre 2, le tableau A.8 est le huitième de l'appendice A, etc. On place le *titre d'un tableau au-dessus* du tableau lui-même. Ce titre, aussi court que possible, doit être néanmoins explicite, c'est-à-dire qu'il doit contenir tous les renseignements utiles au lecteur. Étant donné qu'il s'agit d'un titre, il ne comporte pas de point final. Il est dactylographié à simple interligne et centré au-dessus du tableau.

3.5.2 Les figures

Appartiennent à la catégorie des *figures* toutes les illustrations qui ne sont pas des tableaux, c'est-à-dire les graphiques, les diagrammes, les schémas, les cartes, les photos, etc. Les figures sont encadrées, dans la mesure du possible. On trouvera quelques exemples de figures aux pages 87 et 88.

Dans les figures, les mots et les expressions (en style télégraphique) doivent être présentés *horizontalement* pour faciliter la lecture. On présente toutefois verticalement le nom ou le symbole -- et l'unité de mesure -- de la grandeur portée en abscisse dans un graphique de la variation de y en fonction de x.

On *numérote* également *les figures* par chapitre à l'aide de la *notation pseudo-décimale* (figure 3.8: huitième figure du chapitre 3; figure C.2: deuxième figure de l'appendice C; etc.).

On place la *légende* d'une figure *au-dessous* de celle-ci. La légende est une phrase explicative ou descriptive qui peut avoir une certaine longueur et qui comporte un point final. Elle est dactylographiée à simple interligne, sur toute la largeur de la figure.

3.5.3 Généralités concernant la présentation des illustrations

a)   On place un tableau ou une figure de faibles dimensions au haut ou au bas d'une page, jamais entre deux alinéas. On veillera à les placer *après leur première mention* dans le texte.

b)   Si on ne peut présenter un tableau ou une figure horizontalement, on peut les monter verticalement, à condition que le haut du tableau ou de la figure soit du côté de la reliure du document.

c)   Le titre d'un tableau ou la légende d'une figure ne doit jamais excéder le tableau ou la figure.

d) Un tableau ou une figure -- y compris le titre, la légende et les éventuelles notes -- ne doit pas déborder du cadre prévu pour les autres pages du texte; de plus, toutes les illustrations doivent être centrées en largeur dans les pages.

e) Pour alléger les textes des tableaux ou les indications textuelles des figures, on doit recourir aux abréviations, sigles, acronymes et symboles utilisés dans le document et recensés dans les listes des pages liminaires (*voir* sect. 2.6 et 2.7).

f) On met une majuscule initiale aux titres principaux des colonnes et des rangées d'un tableau et aux expressions en toutes lettres qui définissent ce qu'on porte en abscisse et en ordonnée dans un graphique.

On met une minuscule initiale aux titres secondaires des colonnes et des rangées d'un tableau.

On écrit les autres mots ou expressions en minuscules (dans les tableaux et dans les figures), sauf s'il s'agit de phrases grammaticalement complètes ou de mots sur lesquels on veut attirer l'attention du lecteur.

g) On peut appeler les notes placées au bas d'un tableau ou d'une figure à l'aide d'astérisques ou de croix, de lettres minuscules ou de chiffres -- ces derniers étant déconseillés lorsque le texte lui-même comporte des notes infrapaginales introduites par des chiffres ou lorsque le tableau contient des données chiffrées.

h) Lorsqu'on présente une illustration extraite ou adaptée d'un ouvrage, on doit le mentionner -- soit au-dessous d'un tableau (après les éventuelles notes), soit à la suite de la légende d'une figure -- en indiquant la référence bibliographique complète, celle-ci étant précédée des mots ou expressions «source:», «tiré de:» ou «d'après:».

i) Les tableaux, cartes, dessins ou graphiques dont le format dépasse 15 cm sur 22 cm doivent être annexés dans une pochette et convenablement pliés. Toutefois, si leurs dimensions ne nécessitent pas l'inclusion en pochette, on les insère dans le texte principal en les pliant une seule fois, de droite à gauche, de façon que le lecteur puisse les déplier aisément. On peut également les réduire pour les amener aux mêmes dimensions que le reste du texte; cependant, en ce qui concerne les cartes et autres illustrations dont la réduction entraînerait une perte du contenu informatif ou de la qualité, on doit déposer l'original à la cartothèque de l'UQAM et mentionner ce fait dans le texte.

Les documents ou photographies de plus petites dimensions qu'on insère dans le texte doivent être collés sur une feuille (et non sur un carton).

j)   On doit toujours faire référence dans le texte à un tableau ou à une figure présente dans le document, dès qu'on fonde une démonstration, etc. sur les données du tableau ou de la figure (*voir* sect. 3.7).

3.6 LES RÉFÉRENCES AUX OEUVRES ÉTUDIÉES

La préparation d'un rapport, d'un mémoire ou d'une thèse exige la consultation et l'étude de divers ouvrages et autres types d'oeuvres. Le traitement de cette documentation -- souvent abondante -- constitue une étape importante du travail préparatoire à la rédaction. On aura donc intérêt à décider assez tôt de quelle façon on présentera, d'une part, ses *références* aux oeuvres et aux auteurs cités et, d'autre part, la *liste de ces sources* qu'on a consultées et utilisées.

Il existe essentiellement *deux méthodes* pour présenter les *références dans un texte* et la *bibliographie concordante*, bien qu'on constate des variantes ponctuelles mineures d'une discipline à l'autre.

La *première méthode* est communément appelée *auteur-date* -- selon sa nature -- ou encore *scientifique* ou *américaine* -- selon son origine. Elle est utilisée depuis assez longtemps en sciences naturelles, en génie et en sciences sociales. Elle a gagné par la suite les sciences de l'éducation et les sciences de la gestion et, plus récemment, les langues modernes et la linguistique. Dans ce cas, les *références* sont données *dans le texte, entre parenthèses* et très *abrégées;* elles sont accompagnées d'une *liste des références* complètes en fin d'ouvrage.

La *seconde méthode, traditionnelle* ou *classique,* qui recourt aux *notes de références infrapaginales* et à la *bibliographie* en fin d'ouvrage, est encore en usage dans les domaines des lettres et des arts, et dans quelques autres disciplines, telles l'histoire et la philosophie.

Bien que nous préconisions la première méthode, tant pour sa commodité que pour son économie de temps et d'espace, nous allons présenter ici les deux. Selon les disciplines, on optera pour l'une ou l'autre.

Cela dit, une fois son choix établi, on se tiendra *rigoureusement* à la méthode retenue et *on respectera les détails de présentation recommandés ci-dessous.*

3.6.1 La méthode «auteur-date»

Comme son appellation l'indique, la méthode *auteur-date* présente la source d'une citation indirecte (idée, affirmation ou commentaire empruntés à un auteur) ou textuelle en donnant entre parenthèses, directement après l'énoncé concerné, le nom de l'auteur, ou des auteurs, du document cité et l'année de sa parution. Les deux informations sont séparées par une virgule.

La référence complète apparaît dans une *liste des références* à la fin de l'ouvrage. Elles y sont classées par ordre alphabétique de noms d'auteurs, et les oeuvres d'un même auteur, par ordre chronologique (*voir* art. 4.4.1).

L'*auteur* peut être le directeur de publication, l'éditeur ou le compilateur d'une oeuvre collective ou de type encyclopédique. Il peut être, également, une personne morale (établissement, organisme, association, etc.) plutôt qu'un individu.

Les mentions «éditeur» (éd.), «compilateur» (comp.) ou «directeur de publication» (dir. publ.) ne sont pas données dans la référence, mais elles le sont dans les notices de la liste des références (*voir* p. 44-45).

La méthode «auteur-date» sert à citer tant des livres que des chapitres de livres, des articles de périodiques ou tout autre type de document étudié.

On notera, enfin, qu'on peut l'utiliser en même temps que des notes de contenu infrapaginales (*voir* p. 17).

3.6.1.1 Le contenu de la référence

Informations relatives à l'auteur

On place dans les parenthèses le nom de famille de l'auteur -- sans prénom(s) ni initiale(s).

```
(Tremblay, 1989)      (Fortin, 1990)
```

Si on a affaire à deux ou à trois auteurs, on écrira :

```
(Bélanger et Fournier, 1987)
(Rigal, Paoletti et Portmann, 1974)
```

On notera que les noms des deux derniers auteurs sont coordonnés par «et».

On utilise toujours la conjonction française «et», même quand les noms coordonnés sont anglais ou dans une autre langue étrangère. La *perluète* (&), aussi appelée *et commercial*, est une abréviation désuète en français: on ne la trouve plus que dans certaines raisons sociales figées.

Lorsque l'oeuvre citée compte plus de trois auteurs, on ne retient que le nom de l'auteur principal et on remplace ceux des coauteurs par l'expression latine abrégée *et al.* (*et alii*: «et les autres»). Par exemple, pour citer l'oeuvre de Volant, Douville, Boulet et Pierre), on écrira:

```
(Volant et al., 1990)
```

Par ailleurs, si l'on devait citer une autre oeuvre de Volant, écrite la même année mais avec des collaboratrices et des collaborateurs différents, on donnerait un court titre, après les noms, pour les distinguer l'une de l'autre:

```
(Volant et al., Adieu, la vie..., 1990)
```

Dans le cas où aucun auteur n'est mentionné sur la page couverture ni la page de titre d'un ouvrage publié sous la responsabilité d'une personne morale (organisme gouvernemental, association, etc.), on peut donner le nom du groupe concerné au long, à tout le moins la première fois :

```
(Association des universités et collèges du Canada [AUCC],
1990)
```

et en abrégé les fois suivantes:

```
(AUCC, 1990)
```

De même, si le nom du groupe -- par exemple un service gouvernemental -- est composé de plusieurs parties, on l'abrégera dans les références. Le cas suivant:

```
(Canada, Secrétariat d'État, Direction de l'information,
Bureau des traductions, 1987)
```

serait rendu par :

(Bureau des traductions du Canada, 1987)

On choisit, en général, l'élément le plus significatif pour le lecteur.

Dans la liste des références, on aurait cependant le nom au long, comme ci-dessus, et, en plus, un renvoi établi comme suit :

Bureau des traductions du Canada. 1987. Voir Canada, Secré-
    tariat d'État, Direction de l'information, Bureau des
    traductions. 1987.

On ne traduit jamais en français le nom d'un organisme en langue étrangère. On peut toutefois utiliser la *version française officielle* si elle existe, comme c'est le cas pour les organismes internationaux et les organismes gouvernementaux canadiens.

Informations relatives à la date

Les oeuvres publiées par un même auteur la même année sont présentées par ordre alphabétique de titre dans la liste des références, et l'année est suivie des lettres a, b, c, etc. Dans la référence du texte, on a dans ce cas :

(Fournier, 1988a)   (Fournier, 1988c)

Si on fait une seule référence à plusieurs oeuvres d'un même auteur, on écrit :

(Fournier, 1987b, 1988, 1990)

Les années sont séparées par des virgules.

Si, dans la même parenthèse, on renvoie par contre à plusieurs oeuvres de différents auteurs, on écrit, par exemple :

(Deblock, 1987; Donneur, 1988; Fournier, 1987a)

Les différentes références sont alors séparées par des points-virgules.

Autres types d'informations

Avec la méthode «auteur-date», il est toutefois possible de donner une référence plus précise que l'année. S'il y a lieu, on renverra donc à une page, comme c'est le cas pour une citation directe dans le texte ou en retrait.

```
(Deblock, 1987, p. 121)
```

On peut, de la même manière, renvoyer à un tome, une section, un volume, une équation, un vers, une ligne, etc.:

```
(Tellier et Tessier, 1990, t. 1)
(Leroux, 1990, éq. [58])
```

ou combiner ces informations, si nécessaire, en les séparant par une virgule :

```
(Tellier et Tessier, 1990, t. 1, p. 126)
(Leroux, 1990, éq. [58], p. 49)
```

Contrairement à ce qu'on préconise ailleurs, *nous recommandons de toujours préciser le type de subdivision auquel on renvoie le lecteur* en utilisant toutefois la forme abrégée. Voici les subdivisions les plus courantes :

Acte : act.	Numéro(s) : no, nos
Appendice: app.	Page(s) : p.
Article : art.	Paragraphe : par.
Chant: ch.	Partie: part.
Chapitre : chap.	Planche: pl.
Colonne : col.	Scène: sc.
Équation : éq.	Section: sect.
Figure : fig.	Tableau: tabl.
Hors-texte : h.-t.	Tome: t.
Ligne : l.	Vers: v.
Note : n.	Volume: vol.

Si on fait mention de l'auteur dans une phrase du texte, il est évident que l'on ne mettra entre parenthèses que l'année de publication de l'oeuvre citée (ou, s'il y a lieu, l'année et la page) :

```
Tremblay et Lacroix (1991) affirment que les pouvoirs politi-
ques doivent repenser la notion de service public en matière
de télédiffusion, face à la crise des télévisions tradition-
nelles.
```

3.6.2 La méthode «traditionnelle»

La façon *traditionnelle* de donner une référence est de l'intégrer dans une note, que les notes soient placées au bas des pages ou à la fin du mémoire ou de la thèse. Dans ce cas, les *notes de référence* alternent avec les *notes de contenu* et elles sont appelées dans le texte de la même manière que celles-ci (*voir* p. 17).

La *première fois* que l'on cite une source, il faut que la *référence* soit *complète*. Les éléments d'information y seront donc à peu près les mêmes que ceux que nous présentons, au chapitre 6, pour les notices de la liste des références. On notera toutefois les différences suivantes:

1.   Le prénom du premier auteur précède son nom.

2.   L'année de publication suit le nom de la maison d'édition dans le cas du livre; elle suit la saison ou le mois de publication entre parenthèses, dans le cas du périodique.

3.   Les différentes tranches d'information sont séparées par des virgules plutôt que par des points.

4.   On peut y omettre un certain nombre d'informations accessoires, que l'on retrouvera par ailleurs dans la bibliographie. Par exemple: le sous-titre d'un ouvrage si le titre seul est assez explicite; le nom de la collection dont fait partie l'ouvrage cité; la date du colloque, pour les actes d'un colloque.

Les *références subséquentes* à un ouvrage déjà cité peuvent être *abrégées*. Nous allons présenter ci-dessous un mode d'abréviation qui diffère de la méthode classique, mais que nous jugeons beaucoup plus clair et efficace.

3.6.2.1 Les références abrégées

Il était d'usage — et il l'est encore dans certaines disciplines — d'avoir recours à une ou plusieurs abréviations latines pour abréger la deuxième référence et les suivantes à une même oeuvre. Ces abréviations sont:

-   *id.*, pour *idem*, qui signifie «le même» et ne peut remplacer que le nom de l'auteur qui précède; ne s'emploie jamais seul;

- *ibid.*, pour *ibidem*, qui signifie «au même endroit» et qui remplace la référence complète qui précède immédiatement;

- *op. cit.*, pour *opere citato*, qui signifie «dans l'oeuvre citée», qui remplace le titre et les informations qui l'accompagnent (mention d'édition, ville, maison d'édition, date) et qu'on réserve *au livre*;

- *loc. cit.*, pour *loco citato*, qui signifie «à l'endroit, au lieu cité» et qui remplace la référence à un *article de périodique*.

Pour que les références restent claires et identifiables pour le lecteur, il faut que l'auteur fasse un usage éclairé et rigoureux de ces expressions latines abrégées.

Or, l'expérience nous prouve que c'est rarement le cas de nos jours. Il n'est pas rare de trouver un *idem* à la place d'un *ibidem*, un *op. cit.* seul, sans nom d'auteur, ou encore qui renvoie à une oeuvre déjà citée, mais quinze pages plus avant!

Par souci d'efficacité et de clarté, nous proposons, à la suite d'autres auteurs d'ouvrages récents de rédaction ou de méthodologie, de ne conserver que l'expression latine abrégée *ibid.*, qui remplacera la référence complète au livre ou à l'article que l'on vient de citer dans la note précédente.

Dans le cas où on ne cite qu'un ouvrage d'un auteur, on abrégera les références subséquentes à cet ouvrage en reprenant le nom de l'auteur seulement. Si deux auteurs ont le même nom, on conservera l'initiale du prénom. Si l'on cite plus d'un ouvrage du même auteur, on fera suivre le nom de l'auteur du *titre abrégé* des divers ouvrages.

Façon d'abréger les titres

Pour abréger un titre complet, on laisse d'abord tomber le sous-titre. Si cette coupure ne suffit pas, on conserve les mots les plus significatifs du titre principal; en général, on n'abrège pas un titre de moins de cinq mots, à moins que les mots ne soient très longs. À la rigueur, on laisse tomber l'article initial. On conserve toujours l'ordre des mots et on met le titre abrégé en italiques.

Dans le cas des articles de périodiques, on procède de la même façon pour abréger le titre de l'article. On laisse tomber le nom du périodique ainsi que la référence au volume et au numéro concerné. On place le titre abrégé de l'article entre guillemets.

Voici quelques exemples.

[1]Hélène Denis, *Stratégies d'entreprise et incertitudes environnementales*, Montréal, Agence d'Arc; Paris, Economica, 1990, p. 63.

[2]Hélène Denis, *Technologie et société: Essai d'analyse systémique*, Montréal, Éditions de l'École Polytechnique, 1987, p. 112.

[3]Hélène Denis, «Une typologie de définition des musées scientifiques et techniques», *Museum* (Unesco), août 1988, p. 29.

[4]Denis, *Stratégies d'entreprise*, p. 68.

[5]Denis, *Technologie et société*, p. 92.

[6]Denis, «Typologie des musées», p. 28.

[7]*Ibid.*, p. 27.

Il est évident que cette façon d'abréger une notice n'est vraiment avantageuse que quand les références à un même auteur sont nombreuses. Son utilité devient flagrante lorsque la thèse étudie l'oeuvre d'un auteur, par exemple en études littéraires ou en philosophie. Dans ce cas, on omet le nom de l'auteur étudié dans les références à ses oeuvres et on ne retient qu'un ou deux mots significatifs pour chaque titre. Lorsque les oeuvres sont nombreuses, on prévoit dans les pages liminaires une liste des titres abrégés, celle-ci équivalant à une liste des abréviations et symboles pour les disciplines scientifiques.

3.6.2.2 Les autres cas de notes de références

Comme nous l'avons déjà mentionné pour la méthode «auteur-date» (*voir* p. 25), la référence sera abrégée dans la note lorsque le texte lui-même mentionne certains éléments bibliographiques, comme le nom de l'auteur, le titre de l'oeuvre ou les deux. Pour reprendre notre même exemple, si nous avions dans le texte:

Gaëtan Tremblay et Jean-Guy Lacroix affirment que les pouvoirs politiques doivent repenser la notion de service public en matière de télédiffusion, face à la crise des télévisions traditionnelles[8].

nous aurions dans la note:

[8]*Télévision: Deuxième dynastie*, Sainte-Foy (Qué.), Presses de l'Université du Québec, 1991, p. 163.

Si, en plus, le titre de l'oeuvre était mentionné dans texte, la note ne donnerait que la ville et la maison d'édition, l'année et la page concernée.

Lorsqu'on tire une citation non pas de l'oeuvre originale, mais d'une autre oeuvre qui la cite, il faut mentionner les deux références, de la façon suivante:

[7]Gilbert Larocque, *Serge d'entre les morts*, Montréal, VLB éditeur, 1976, p. 31-32; cité dans Gérard Bessette, *Le Semestre*, Montréal, Québec/Amérique, 1979, p. 25.

Il y a une autre situation où l'on trouve plus d'une référence dans une même note, c'est lorsqu'on renvoie à plusieurs auteurs dans un même passage du texte. Plutôt que de multiplier les appels de notes et, partant, les notes successives au bas de la page, on place l'appel de note après le dernier auteur ou la fin du commentaire et on donne les références aux auteurs cités dans une même note:

[22]Donald Smith, *L'Écrivain devant son oeuvre : Entrevues*, Montréal, Québec/Amérique, 1983, p. 307-308; André Vanasse, «La femme à la bouche rouge» , *Lettres québécoises*, no 22, p. 23; Gérard Bessette, *Le Semestre*, Montréal, Québec/Amérique, 1979, p. 80.

Signalons, enfin, qu'une note peut être à la fois de contenu et de référence; on aura, par exemple, dans ce cas:

[2]Voir à ce sujet Pierre Guiraud, *Le Langage du corps*, Paris, Presses universitaires de France, 1980.

ou encore un commentaire un peu plus élaboré:

[6]C'est Louis Francoeur qui a proposé cette notion en la situant dans une perspective peircéenne. Voir *Les signes s'envolent*, Québec, Presses de l'Université Laval, 1985.

3.7 LES RÉFÉRENCES AUX DIVERSES PARTIES DU TEXTE

Nous avons déjà mentionné qu'il était essentiel d'annoncer dans le texte l'apparition prochaine d'un tableau ou d'une figure sur lesquels on fonde une démonstration, un exemple, etc. (*voir* p. 21).

De la même manière, il est souvent utile de renvoyer le lecteur à une partie précédente ou subséquente de son exposé, par exemple pour lui rappeler où et comment on a amorcé le sujet qu'on vient d'aborder ou encore pour lui indiquer où il pourra trouver un complément d'information sur ce même sujet.

Ces renvois peuvent porter sur une large partie du texte, comme un chapitre, un appendice, la bibliographie, ou sur une subdivision plus fine, comme une section, un article, un paragraphe, un tableau, une figure, voire une page ou une note.

La façon la plus simple et la plus commode de noter ces références est de les placer entre parenthèses, après l'explication concernée, en utilisant une forme abrégée.

```
(chap. 3) ou (voir chap. 3)
(sect. 2.1) (art. 3.2.4) (par. 4.1.2.4)
(tabl. 6.3) (fig. 8.4)
(n. 4, chap. 6)
```

On peut aussi faire référence à une subdivision quelconque de son texte dans une phrase explicative, par exemple:

```
Le tableau 1.1 indique, pour l'ensemble de la période étudiée
(1970 à 1980), le nombre de lettres écrites respectivement
par les hommes et les femmes, distribués selon les groupes
d'âge.
```

3.8 LA CONCLUSION

La conclusion -- résumé et bilan du travail -- sert à rappeler: 1) le but, la nature et l'envergure du travail (dans une thèse, on fait en outre état de l'originalité de la recherche); 2) les sujets traités; 3) le ou les problèmes qu'on avait à résoudre; 4) les objectifs qu'on s'était fixés; 5) la ou les méthodes qu'on a utilisées; 6) la démarche qu'on a adoptée. Par ailleurs, la conclusion permet de présenter: 7) les principaux résultats obtenus; 8) les conclusions qu'on en a tirées; 9) les recommandations qu'on souhaite faire et/ou les pistes de recherches à venir sur le ou les mêmes sujets.

La conclusion est la dernière partie du document proprement dit; elle est immédiatement suivie des pages annexes.

CHAPITRE IV

LES PAGES ANNEXES

4.1 LES APPENDICES

Bien que les *appendices* ne soient pas essentiels, ils peuvent parfois être utiles. Ainsi, on placera en annexe des documents qui ne sont pas strictement nécessaires à la compréhension du texte ou qui nuiraient à sa lisibilité, ou encore des documents qu'on juge intéressants pour le lecteur: documents inédits, textes difficilement accessibles, citations trop longues pour figurer en bas de page, questionnaires, calculs détaillés, etc.

Si on place en annexe un document écrit dans une langue autre que le français, on doit en justifier la présence et le faire précéder d'un résumé en français.

On identifie les appendices au moyen de lettres majuscules (A, B, etc.) et on y fait référence dans le texte de la même manière qu'on fait référence à un chapitre (*voir* p. 30).

Chaque appendice commence par une page de titre, sur laquelle figurent le mot APPENDICE et sa lettre d'identification (en majuscules), à 5 cm du bord supérieur de la feuille; le titre de l'appendice (en majuscules) est situé 2 cm plus bas et séparé du début du texte par 3 cm; le tout est centré.

On doit présenter les appendices sur le même papier que celui qui est utilisé pour le texte principal. On éliminera par conséquent tout document déjà photocopié, le papier quadrillé, le papier de couleur, etc. Dans le cas de documents anciens, nous recommandons de joindre une photographie.

4.2 LES NOTES ET RÉFÉRENCES

Comme nous l'avons mentionné à la section 3.4, il est possible de placer ses *notes dans les pages annexes* si elles sont nombreuses et plutôt longues. Il peut s'agir de notes seulement, ou de notes et de références si l'on a adopté la façon traditionnelle de citer ses sources.

Le titre adéquat («notes» ou «notes et références») sera tapé en majuscules, à 5 cm du bord supérieur de la feuille, et centré.

Pour chaque note, le chiffre d'appel est tapé dans le même corps que le texte et suivi d'un point et de deux espaces. On le place en retrait de six frappes par rapport à la marge gauche. Le texte est à simple interligne, la deuxième ligne et les suivantes étant alignées à la marge gauche.

Les *notes* sont *séparées par chapitre*. On indique au-dessus de chaque bloc d'information de quel chapitre il s'agit. Le mot et le numéro sont tapés à la marge gauche, avec une majuscule initiale, précédés de trois interlignes et suivis de deux (*voir* app. C.1, p. 90-91).

4.3 LE GLOSSAIRE OU LE LEXIQUE

Lorsque des mots utilisés dans le texte comportent un certain degré de difficulté -- par exemple termes techniques nouveaux, mots en langue étrangère --, ou lorsqu'on veut leur donner une signification quelque peu différente de celle communément admise, on doit dresser une liste de ces mots, dans l'ordre alphabétique, et donner pour chacun d'eux la traduction ou la définition qu'on préconise, éventuellement assortie d'un exemple d'utilisation. En fait, on propose ainsi un mini-dictionnaire dont chaque mot n'a qu'une acception.

Le mot *glossaire* ou *lexique* est tapé en majuscules, à 5 cm du bord supérieur de la feuille, et centré. Le texte commence 2 cm plus bas. Chaque terme du glossaire est tapé à la marge gauche, avec une majuscule initiale. Il est suivi d'un point et de deux espaces. Quant à la définition proprement dite, elle commence avec une majuscule et se termine par un point. Si une définition fait plus d'une ligne, la deuxième ligne et les suivantes seront tapées en retrait de cinq frappes par rapport à la marge gauche et à simple interligne. Les définitions sont séparées les unes des autres par un interligne double (*voir* app. C.2, p. 92).

4.4 LA LISTE DES RÉFÉRENCES OU LA BIBLIOGRAPHIE

Comme nous l'avons mentionné au chapitre 3 (*voir* sect. 3.6), on présentera en fin d'ouvrage une *liste des références* complètes ou une *bibliographie* selon que l'on a opté pour la méthode «auteur-date» ou la méthode «traditionnelle» pour citer ses sources.

L'ordre des notices bibliographiques à l'intérieur de ces listes varie quelque peu selon que l'on choisit l'une ou l'autre méthode. Nous allons étudier ci-dessous les deux cas.

Pour ce qui est de l'agencement des informations bibliographiques à l'intérieur même des notices, on se reportera au chapitre 6 et aux exemples en annexe, où nous présentons l'ordre convenu pour le livre et l'article de périodique de même que les variantes propres à d'autres types de documents.

La nature, la forme et l'ordre des informations dans les notices sont, à peu de chose près, les mêmes dans la bibliographie et dans la liste des références et ce, pour tous les types de documents. On retiendra que seule la place de l'année change. Dans la liste des références, elle suit le nom de l'auteur ou des auteurs; dans la bibliographie, elle se place après la maison d'édition, dans le cas des livres, et après le mois ou la saison de publication, entre parenthèses, dans le cas des périodiques. Les signes de ponctuation retenus pour séparer les différentes tranches d'information sont les mêmes dans les deux cas.

4.4.1 La liste des références

Les *références abrégées* sont couplées à une *liste des références complètes* en fin d'ouvrage. Cette liste peut s'intituler «références» ou «oeuvres citées». Les oeuvres y sont classées par ordre alphabétique de nom d'auteur, les oeuvres d'un même auteur, par ordre chronologique, et les oeuvres parues la même année, par ordre alphabétique de titre.

Une même oeuvre n'apparaît dans la liste qu'une seule fois.

En vertu de ce principe, il est fréquent qu'on doive y placer des renvois. Nous avons cité précédemment un cas de renvoi : celui où le nom de l'auteur, en l'occurrence un organisme ou une collectivité, est abrégé (*voir* p. 23). Il en existe au moins un autre : l'oeuvre collective dont plusieurs des auteurs sont cités à tour de rôle à divers endroits du texte. Si on a dans la notice bibliographique :

```
Volant, Éric (dir. publ.), Marie Douville, Michel Boulet et
     Jacques Pierre. 1990. Adieu, la vie... : Études des
     derniers messages laissés par des suicidés. Montréal:
     Éditions Bellarmin.
```

et dans la référence entre parenthèses, après une citation par exemple :

```
(Douville, 1990, p. 54)
```

on fera le renvoi suivant dans la liste des références :

```
Douville, Marie.  1990. «L'enfance d'une recherche».  Voir
     Volant et al. 1990.
```

4.4.2 La bibliographie

La *bibliographie* -- où plus exactement la *bibliographie sélective*, puisqu'elle contient rarement tout ce qui s'est écrit sur le sujet traité -- répertorie les sources que l'on a consultées pour rédiger son mémoire ou sa thèse et celles que l'on a citées.

4.4.2.1 Classification des notices dans la bibliographie

Si la bibliographie est très longue, on peut la subdiviser. Le choix des sections dépendra de la nature ou du sujet de la thèse ou du mémoire.

Par exemple, lorsqu'une recherche porte sur l'oeuvre d'un auteur, il est fréquent de séparer les oeuvres *de* l'auteur des oeuvres *sur* l'auteur. De même, on peut classer séparément les livres, les périodiques et les autres sources comme les inédits, les documents audio-visuels, les entrevues, etc. Ou encore, si on a dû consulter un grand nombre de documents d'un type particulier -- par exemple des documents d'archives ou bien les livraisons successives d'un quotidien --, on séparera ceux-ci des autres sources.

À l'intérieur de chaque subdivision, on a recours le plus souvent au classement alphabétique par nom d'auteur.

Les oeuvres d'un même auteur seront classées soit par ordre alphabétique de titre, auquel cas on ne tiendra pas compte de l'article dans le classement, soit par ordre chronologique croissant.

Si les oeuvres d'un auteur sont fort nombreuses, on peut, également, séparer celles qu'il a écrites seul, de celles qu'il a compilées ou éditées et de celles qu'il a écrites en collaboration. Dans le cas contraire, on n'utilise pas de subdivision, mais on respecte l'ordre suivant: auteur unique, compilateur ou éditeur ou directeur de publication, coauteur.

À partir de la deuxième notice relative à l'oeuvre d'un même auteur, on remplace les nom et prénom ou initiales par un tiret de huit frappes suivi d'un point. Dans le cas des oeuvres éditées, compilées, etc., on fait suivre le tiret des mentions abrégées, entre parenthèses, du type de travail accompli (*voir* p. 44-45). Pour les oeuvres écrites en collaboration, on répétera cependant le nom de l'auteur et on indiquera à la suite ceux des coauteurs. Lorsqu'une oeuvre ne comporte aucun nom d'auteur -- ou encore de compilateur ou de directeur de publication --, on la classe alphabétiquement d'après son titre.

Si on décide de subdiviser sa bibliographie, on place au-dessus de chaque subdivision un sous-titre indiquant la nature des notices contenues dans la section à venir. Ce titre sera en minuscules (mais avec majuscule initiale), à la marge gauche, précédé de trois interlignes et suivi de deux.

On trouvera en annexe un exemple de liste de références et un exemple de bibliographie (*voir* app. C.3 et C.4, p. 93 à 96). Pour ce qui est de la présentation matérielle des notices, on peut se reporter, également, à celles du chapitre VII du présent guide. On remarquera l'utilisation de l'interligne simple et le retrait de cinq frappes à la deuxième ligne et aux suivantes de chaque notice.

CHAPITRE V

QUELQUES RÈGLES TYPOGRAPHIQUES

Les *règles de la typographie française* diffèrent souvent de celles de l'anglais, en particulier en ce qui a trait à l'usage des majuscules et aux abréviations. Au Québec, on cède hélas souvent à la tentation de calquer l'anglais en la matière, alors qu'il existe pourtant d'excellents ouvrages, québécois et étrangers, qui répertorient l'ensemble de ces règles et que l'on peut consulter aussi facilement et fréquemment qu'un dictionnaire. On appelle le plus souvent ces ouvrages *guides* ou *grammaires typographiques*.

Nous allons résumer dans les pages qui suivent les plus utiles de ces règles. Pour tous les autres cas non répertoriés, on se rapportera à l'une ou l'autre des grammaires suggérées dans la bibliographie.

5.1 MISE EN ÉVIDENCE DE CERTAINS MOTS

On doit composer en *caractères italiques* les titres de livres et les noms de revues, que ce soit dans le texte, dans les références ou dans la bibliographie. On compose également en italiques les expressions empruntées aux langues étrangères classiques ou modernes (*Butomus umbellatus, f.; vallisneriifolius; pattern*), les titres d'oeuvres d'art et les noms des tests (excepté lorsqu'ils sont désignés par des sigles). Pour connaître l'usage complet de l'italique, on consultera une grammaire typographique. L'italique remplace aujourd'hui le soulignement, auquel on avait recours avant l'avènement du traitement de texte.

On peut en outre composer en italiques (ou encore en caractères gras) les passages et expressions sur lesquels on désire attirer particulièrement l'attention du lecteur; il faut cependant éviter l'excès, car on manquerait le but visé. Lorsqu'on désire composer un mot en italiques dans une citation, on doit indiquer, dans le texte ou dans une note infrapaginale (entre crochets ou entre parenthèses) que la mise en évidence est de l'auteur du travail et non de celui de la citation. On emploie en général la formule suivante: «c'est nous qui soulignons».

À l'inverse, dans un texte composé en italiques, les mots et expressions qu'on veut mettre en évidence sont composés en caractères romains.

5.2 ABRÉVIATIONS, SIGLES ET ACRONYMES

Si, pour des raisons pratiques, on emploie dans le document un certain nombre d'*abréviations*, de *sigles* et d'*acronymes*, on doit en fournir une liste explicative au début du travail (*voir* sect. 2.6)

Par contre, si on recourt rarement aux abréviations, sigles et acronymes, une telle liste n'est pas requise. La première fois qu'apparaît dans le texte un mot ou une expression qu'on souhaite abréger dans un passage subséquent, on donne à sa suite, entre parenthèses, l'abréviation ou le sigle correspondant; ex.: Conseil des traducteurs et interprètes du Canada (CTIC).

On a intérêt à consulter des ouvrages spécialisés pour utiliser les abréviations, sigles et acronymes appropriés et communément admis -- en général ou dans un domaine particulier. On évitera ainsi d'abréger de façon fantaisiste les noms d'organismes provinciaux, nationaux ou internationaux relatifs à un domaine donné, etc.

En ce qui concerne les *abréviations*, rappelons qu'on peut les obtenir :

a)   Par retranchement des dernières lettres. En ce cas, elles se terminent toujours par une consonne et elles comportent un point abréviatif (ex.: chapitre; chap.); on se rappellera qu'on ne coupe jamais avant une consonne, mais toujours avant une voyelle.

b)   Par retranchement des lettres intérieures. En ce cas, elles ne comportent pas de point abréviatif, et la dernière lettre est souvent présentée en exposant (ex.: numéro; n°);

c)   Par retranchement de toutes les lettres, sauf l'initiale. En ce cas, elles comportent un point abréviatif (ex.: page; p.).

En ce qui concerne les *sigles* -- la plupart du temps composés avec les lettres initiales ou les premières lettres des mots qui constituent l'expression à abréger -- , on a de plus en plus tendance à supprimer les points abréviatifs normalement requis lorsqu'on abrège un seul mot selon les règles a) et c) ci-dessus (ex.: CECM et non C.E.C.M.). On notera, en passant, que les *majuscules des sigles ne sont jamais accentuées.*

Quant aux *acronymes* -- qui sont des sigles qu'on peut prononcer comme des mots ordinaires grâce à l'agencement des lettres qui les composent --, ils ne comportent jamais de points abréviatifs (ex.: CEGEP).

5.3 LES SYMBOLES

Lorsqu'on doit, notamment dans un document à caractère scientifique ou technique, utiliser des *symboles* représentant des grandeurs physiques ou autres, on doit fournir une liste exhaustive des symboles qui figurent dans le document. Vis-à-vis de chaque symbole, on indique le nom de la grandeur qu'il représente et, entre parenthèses, le ou les noms des unités de mesure qui permettent d'évaluer cette grandeur. Par exemple, *F*: force (en Newton: N).

Là encore, on a intérêt à consulter des ouvrages spécialisés, notamment un bon guide du Système international d'unités (SI), pour ne recourir qu'aux symboles adéquats et universellement utilisés.

Nous présentons ci-dessous quelques considérations générales concernant les symboles de grandeurs et les unités de mesure du SI.

5.3.1 Les symboles de grandeurs

Un *symbole de grandeur* est constitué d'une seule lettre latine ou grecque, minuscule ou majuscule, éventuellement affectée d'un indice ou d'un exposant.

Un symbole de grandeur ne comporte jamais de point abréviatif et ne prend jamais la marque du pluriel. On compose les symboles de grandeurs en caractères italiques.

Un même symbole peut représenter plusieurs grandeurs (ex.: *V* est le volume ou la différence de potentiel électrique); par ailleurs, une même grandeur peut être représentée par plusieurs symboles (ex.: *V* ou *U* peuvent représenter la différence de potentiel électrique).

5.3.2 Les symboles d'unités de mesure

Un *symbole d'unité de mesure* est constitué d'une ou plusieurs lettres -- latines ou grecques, minuscules ou majuscules -- éventuellement affectées d'un exposant.

Un symbole d'unité de mesure ne comporte jamais de point abréviatif et ne prend jamais la marque du pluriel. On compose les symboles d'unités de mesure en caractères romains.

Un seul symbole représente le nom qui désigne cette unité (ex.: seul le symbole kg peut représenter le kilogramme), et à un nom d'unité correspond un seul symbole.

Il existe des unités de base (ex.: m pour mètre), des unités dérivées (ex.: Hz pour hertz), quelques unités courantes autres (ex.: min pour minute) et des unités composées (ex.: m/s pour mètre par seconde).

On peut nommer et écrire les multiples et les sous-multiples de toutes les unités de mesure à l'aide de préfixes universellement utilisés (lettres ou symboles) ou des puissances de 10 (positives ou négatives) qui leur correspondent. Ainsi, puisque la lettre M signifie méga et correspond à 10^6, on peut avoir:

- un mégapascal = 1 MPa = 10^6 Pa;
- un méganewton = 1 MN = 10^6 N;
- etc.

5.3.3 L'écriture des nombres selon le SI

Dans les nombres, on sépare les entiers des décimales par une virgule et non par un point (ex.: 2,35). On sépare les tranches de trois chiffres par une espace et non par une virgule (ex.: 12 322 000).

Cette dernière règle s'applique également aux décimales lorsqu'elles sont supérieures à quatre (ex.: 24,640 21).

Lorsqu'on veut écrire une date uniquement à l'aide de chiffres, on procède selon l'ordre suivant: année, mois, jour (ex.: 1990-04-28 correspond au 28 avril 1990). On sépare les groupes de chiffres par un trait d'union et non par une barre oblique.

Dans l'expression du temps, on distingue l'expression de la durée de celle du moment précis auquel on fait référence à l'aide des normes d'écriture suivantes:

a) durée: 4 h 53 min 6 s;
b) moment: 04:53:06.

Quand on présente deux séries de données chiffrées, on écrit la première en lettres et la seconde en chiffres (ex.: «Parmi les nourrissons, neuf obtinrent une moyenne de 3,81, quatre une moyenne de 2,14 et les autres, soit cinq, une moyenne de 2,91»).

CHAPITRE VI

LES INFORMATIONS BIBLIOGRAPHIQUES

On appelle *notice bibliographique* l'ensemble des informations qui permettent de retracer facilement une oeuvre dans un catalogue, une banque de données, une bibliothèque, etc. Ces informations sont toujours à peu près les mêmes, qu'on les retrouve dans une liste des références, dans une bibliographie ou dans une note de référence infrapaginale complète. D'un cas à l'autre, seuls l'ordre des informations et la ponctuation varient quelque peu.

Nous allons donner ici la nature, la forme et l'ordre de ces informations pour les notices de la liste des références, dans la méthode «auteur-date». On se rapppellera que dans la bibliographie, couplée à des notes de références dans la méthode «traditionnelle», seule la place de l'année de publication change (*voir* p. 33).

Nous étudierons les livres, les périodiques et quelques autres cas utiles pour les mémoires et thèses.

6.1 LES LIVRES

La référence à un livre doit comporter les renseignements suivants:

- Nom(s) et prénom(s) de l'auteur ou des auteurs;
- Nature de la contribution de l'auteur, s'il y a lieu;
- Année de publication;
- Titre (et sous-titre, s'il y a lieu);
- Nom de l'éditeur ou du traducteur, s'il y a lieu;
- Nom de l'auteur de la préface, s'il y a lieu;
- Numéro et nature de l'édition, si ce n'est pas la première;
- Nom de la collection dans laquelle paraît l'oeuvre et numéro de l'oeuvre dans cette collection, s'il y a lieu;
- Lieu de publication;
- Maison d'édition, ou organisme responsable de la publication.

6.1.1 Nom de l'auteur

Pour le *premier auteur*, on cite le nom de famille d'abord, le prénom ensuite, les deux étant séparés par une virgule. Autant que possible, on utilise le prénom plutôt qu'une ou des initiales: cela évite certaines ambiguïtés.

Si on a recours aux initiales, on respecte les règles orthotypographiques suivantes. Les prénoms français composés, comme Jean-Pierre, gardent le trait d'union lorsqu'ils sont abrégés : J.-P. Les prénoms anglais, souvent doubles, s'écrivent sans trait d'union. Par ailleurs, *les deux initiales sont toujours séparées par une espace et non juxtaposées* : ainsi, on abrège Harold John en H. J., et non H.J. En français comme en anglais, la majuscule initiale est suivie d'un point.

Pour le *deuxième auteur et les suivants*, on inscrit les prénoms et nom dans l'ordre habituel; l'inversion n'est justifiée que pour le classement alphabétique du premier nom d'auteur. Chaque nom complet est séparé du suivant par une virgule. Les deux derniers sont coordonnés par «et», jamais par *and* ou & (voir p. 23). Le dernier nom est suivi d'un point.

```
Tremblay, Gaëtan, et Jean-Guy Lacroix.
Volant, Éric (dir. publ.), Marie Douville, Michel Boulet et
Jacques Pierre.
```

Dans la liste des références, on cite *tous les auteurs*, même s'ils sont plus de trois et qu'on a remplacé leurs noms par *et al.* dans la référence abrégée.

6.1.1.1 Auteurs de collectifs

Certains ouvrages *collectifs* -- recueils de textes, anthologies, rapports de recherches, actes de colloque, etc. -- sont préparés et rédigés sous la responsabilité de quelques personnes (une ou deux, parfois trois). Ce sont elles qu'on cite dans ces cas-là sur les pages couverture et de titre, et dans les notices bibliographiques. Selon la nature du travail qu'elles ont accompli, on les nomme «compilateur», «directeur de publication», «éditeur». Voyons le sens exact de chacune de ces appellations en français.

Le *compilateur* rassemble des textes épars en vue de leur publication dans un même ouvrage et les présente dans un avant-propos. Le travail accompli est alors décrit par l'expression «textes réunis par...», que l'on trouve sur les pages couverture et de titre de l'ouvrage. Souvent, le compilateur n'y a pas d'autre texte que l'avant-propos ou l'introduction. C'est le cas des recueils et, parfois, des actes de colloque.

Le *directeur de publication* est le maître-d'oeuvre d'un ouvrage qui a une unité de fond et de ton et, souvent, de la recherche qui l'a précédé. Il présente l'oeuvre, rédige quelques chapitres, voit à l'uniformité et à la qualité scientifique de l'ensemble. Le travail accompli est signalé par l'expression «sous la direction de...» sur la couverture et la page de titre. Il l'est, également, sous les formes suivantes:

```
Jorge Niosi et collaborateurs
Gaëtan Tremblay et Jean-Guy Lacroix en collaboration avec...
Éric Volant avec la collaboration de...
```

C'est le cas, par exemple, des rapports de recherches, des traités et monographies à auteurs multiples, de certains actes de colloque.

L'*éditeur* d'un texte est celui qui établit la version finale du texte qui sera publié, la présente, l'annote et la commente. Il s'agit d'un travail de recherche et d'interprétation fait sur le texte d'une autre personne.

On a tendance à nommer abusivement «éditeur» le directeur de publication ou le compilateur d'un ouvrage, sous l'influence de l'usage anglais. En effet, le terme *editor(s)*, abrégé en *ed.* ou *eds.*, recouvre souvent ces deux réalités.

On essaiera d'être précis et d'utiliser l'expression française abrégée qui convient à la nature de l'intervention. À défaut de précision, on pourra avoir recours au générique «dir. publ.». On aura donc, selon les cas, entre parenthèses et après le ou les noms concernés:

```
(dir. publ.), pour directeur(s) de publication
(comp.), pour compilateur(s)
(éd.), pour éditeur(s)
```

On utilise l'expression française abrégée *même quand on cite des noms anglais ou étrangers.*

On notera qu'en français on n'ajoute pas de «s» aux abréviations qui ne conservent que les premières lettres d'un mot.

6.1.1.2 Personne morale en tant qu'auteur

On a traité ci-dessus (*voir* p. 23-24) de l'écriture du nom dans le cas où l'organisme responsable de la publication est cité comme auteur. On se rappellera que, dans la notice bibliographique, il faut écrire le nom au long, avec toutes ses parties, en allant du plus général au plus précis. On met, s'il y a lieu, le sigle entre parenthèses après le nom.

6.1.2 Année de publication

L'année de la publication du livre se place après les informations sur l'auteur. Elle est suivie d'un point. Il faut toujours utiliser *la dernière année* qui apparaît dans le copyright (au verso de la page de titre) : c'est celle de l'édition qu'on cite.

Attention! Les Américains surtout ont tendance à donner, à la suite du ©, toutes les années des *différentes éditions* d'une oeuvre. Il faut prendre la plus récente. On n'utilise pas non plus les années subséquentes qui apparaissent dans un autre code, sous le copyright, et qui sont celles des futures réimpressions de l'oeuvre. De même, on ne prend pas la date qui apparaît à la dernière page, sous la signature de l'imprimeur.

Si on ne trouve pas la date de publication, on indique à la place «s. d.» (pour «sans date»).

Une date incertaine, citée entre crochets dans un catalogue ou un fichier de bibliothèque, doit toujours être reproduite comme telle.

6.1.3 Titre et sous-titre

Le *titre du livre* s'écrit au long, s'il y a lieu suivi de son *sous-titre*. Le tout est en italiques. Titre et sous-titre sont séparés par un deux-points (:). Le groupe titre : sous-titre se termine par un point.

Dans toutes les langues, la première lettre d'un titre et celle d'un sous-titre sont des majuscules. En français, outre l'initiale des noms propres, le reste s'écrit en minuscules. En anglais, on met une majuscule à la première lettre de tous les mots, sauf les articles, prépositions et conjonctions.

On n'abrège jamais un titre ni un sous-titre dans une notice bibliographique.

On ne traduit pas un titre en langue étrangère. Toutefois, si la langue est inconnue de la plupart des lecteurs, on peut donner la traduction française du titre, entre crochets, après le titre original. Cette traduction n'est pas en italiques (*voir* exemple p. 62).

6.1.4 Nom de l'éditeur, du traducteur ou du préfacier

La page de titre d'un livre peut mentionner, en plus du nom de l'auteur, celui de la *personne qui a édité, traduit ou préfacé l'oeuvre.*

Selon la nature du mémoire ou de la thèse, et celle des oeuvres citées, il est plus ou moins important de faire état de ces informations. Dans le cas d'une oeuvre littéraire connue qui aurait eu plus d'un traducteur, il est nécessaire de signaler quelle traduction on a utilisée.

De même, si on étudie les oeuvres complètes d'un auteur, ou encore un texte ancien, il faut mentionner qui les a édités.

Quoi qu'il en soit, ces mentions suivent les titre et sous-titre. On donne les renseignements en français, quelle que soit la langue de l'oeuvre citée, sous une forme légèrement abrégée.

```
Éd. de Léon Brunschvicg.
Préf. d'André Blais.
Trad. du français par Peter Keating.
```

6.1.5 Numéro de l'édition

À moins que l'*édition* citée ne soit la première, il est essentiel de mentionner laquelle on a consultée. Le terme «édition» renvoie ici à un état du texte. On parle de «nouvelle édition» quand le texte d'origine a été sensiblement modifié. La nature de ces modifications peut varier. Une édition sera, selon le cas, revue ou révisée, augmentée, refondue. On donne donc le numéro de l'édition et la nature des modifications si le livre la mentionne.

Ces informations apparaissent sur la couverture et la page de titre. Dans la notice, on les écrit, toujours en français, sous une forme abrégée. On aura, par exemple :

```
2e éd. rev. et augm. (deuxième édition revue et augmentée)
Nouv. éd. rév. (nouvelle édition révisée)
12e éd. ref. par André Goosse (douzième édition refondue
par...)
```

6.1.6 Collection

Certains livres sont publiés dans le cadre de *collections* qui regroupent des ouvrages ayant des traits communs : soit par les sujets traités, soit par leur nature ou leur destination, soit par l'approche privilégiée. Une collection porte un nom, et le livre en cause, un numéro dans la collection. Ces renseignements sont facultatifs. Le cas échéant, on les mentionne juste avant le lieu de publication, de la façon suivante :

```
Coll. «Études québécoises», no 19.
```

Plutôt que «no» on aura parfois «vol.», ou les deux.

6.1.7 Lieu de publication et maison d'édition

Le *lieu de publication* est la ville où le livre est publié. Ce nom apparaît, en général, avec celui de la maison d'édition au bas de la page de titre. Autrement, on le trouve sur la page copyright, dans l'adresse complète de la maison d'édition. S'il y a plusieurs noms de ville, on prend en général le premier : c'est là que le livre a été publié.

Si la ville n'est pas très connue, on donne, sous forme abrégée et entre parenthèses, un indice qui permet de la situer, ou encore de la distinguer d'une autre du même nom. Cet indice sera le nom d'une province (ville canadienne), d'un état (ville américaine) ou d'un pays (ville étrangère). On écrira par exemple :

```
London (Ont.)
Englewood Cliffs (N.J.)
Gembloux (Belg.)
```

Dans le cas des villes étrangères, on utilise le nom français s'il existe. On se fiera en cela au *Petit Robert 2*. On écrira ainsi Vienne (et non *Wien*), Rome (et non *Roma*), Londres (et non *London* pour la capitale de la Grande-Bretagne). Autrement, on reproduit l'orthographe du nom étranger.

On écrit le nom de la maison d'édition, ou de l'organisme éditeur, tel qu'il apparaît sur la couverture et la page de titre.   On peut cependant choisir d'abréger plusieurs de ces noms sans qu'il y ait confusion. Si l'on fait ce choix, on écrira toujours de la même façon le nom d'un même éditeur dans toutes ses références.

Pour abréger un nom de maison d'édition, on laisse d'abord tomber les indications à caractère commercial telles que «inc.», «et Cie», «ltée», «S.A.», «Ltd». On peut omettre, également, l'article initial «The» ou «Les». On peut, dans certains cas, enlever le générique «Éditions» ou «Les Éditions», ou «Press» chez les anglophones.

On écrira cependant au long le nom des presses universitaires, sans retrancher «Éditions», «Presses» ou «Press», car l'université du même nom agit souvent à titre d'éditeur et produit diverses publications à son compte. On évitera également les sigles, car les lecteurs étrangers ne s'y retrouvent pas nécessairement dans les PUM, PUQ, PUL et PUF!

Voici quelques noms abrégés de façon acceptable :

```
Les Éditions du Renouveau pédagogique : Renouveau pédagogique
Les Éditions Bellarmin : Bellarmin
Pergamon Press : Pergamon
Macmillan & Co : Macmillan
```

On ne traduit jamais aucune partie du nom d'une maison d'édition étrangère.

Le nom de la ville et celui de la maison d'édition sont séparés par un deux-points:

```
Longueuil (Qué.) : Le Préambule
Paris : Gallimard
Englewood Cliffs (N.J.) : Prentice-Hall
```

Dans les cas un peu plus complexes, on aura par exemple :

```
Montréal et Kingston: McGill-Queen's University Press
                      (une association de deux éditeurs)
Outremont (Qué.): VLB éditeur; Paris : L'harmattan
                  (une coédition)
Toronto : Dundurn Press, pour le Secrétariat d'État du Canada
(une maison d'édition publiant pour le compte d'un organisme)
```

Enfin, si on ne trouve aucune mention de la ville, ou encore de la maison d'édition, on inscrit «s. l.» (pour «sans lieu»).

6.2 LES EXTRAITS DE LIVRE

Il arrive qu'on ne veuille citer, dans la liste des références, qu'un *chapitre d'un livre* et non tout le livre. Dans ce cas, les renseignements sont donnés de la même façon que pour un livre, avec les quelques variantes qui suivent.

1.   Le nom classé dans la liste des références est alors celui de l'auteur du chapitre.

2.   Le titre du chapitre se place après la date, entre guillemets, avec une majuscule initiale seulement.

3.   Vient ensuite le bloc d'informations sur le livre d'où est tiré le chapitre: titre du livre, nom(s) du ou des directeur(s) de publication, pages concernées.

4.   Le tout se termine par la ville de publication et la maison d'édition.

Pour les détails orthotypographiques, on se fiera à l'exemple qui suit :

```
Roy, Marie-André.  1991.  «Femmes, domination et pouvoir».  In
     Femmes et pouvoir dans l'Église, sous la dir. d'Anita
     Caron, p. 115-146.  Outremont (Qué.) : VLB éditeur.
```

On remarquera que le titre de l'ouvrage est précédé de «In» («dans»).

Si le chapitre cité est extrait d'un livre à auteur unique, on ne répète pas le nom de l'auteur après le titre du livre. L'extrait sera donc situé comme suit :

```
Fournier, Pierre.   1990.  «La souveraineté et l'avenir du
     français». Chap. in Autopsie du Lac Meech : La souverai-
     neté est-elle inévitable?, p. 133-160. Outremont (Qué.):
     VLB éditeur.
```

6.3 LES OUVRAGES EN PLUSIEURS VOLUMES OU TOMES

Certains *ouvrages* d'envergure sont publiés en *plusieurs volumes* ou tomes. L'ensemble de l'oeuvre porte un titre général et, souvent, chaque volume porte un titre particulier. Tous les volumes peuvent paraître la même année, ou la parution peut s'échelonner sur quelques années. L'ensemble peut être publié sous la direction de quelques personnes. Chaque volume a parfois son auteur, s'il ne s'agit d'un collectif.

Si l'on cite *l'ensemble de l'oeuvre,* on précisera toute la période couverte par la publication et le nombre total de volumes. Si les tomes ne sont pas tous parus, la première date sera suivie d'un trait d'union.

```
Tellier, Yvan, et Roger Tessier (dir. publ.).   1990-      .
     Changement planifié et développement des organisations.
     8 t. Sainte-Foy (Qué.) : Presses de l'Université du
     Québec.
```

Si on cite *un tome en particulier,* on donne sa date de parution, son numéro et son titre.

```
Tellier, Yvan, et Roger Tessier (dir. publ.).   1990.
     Priorités actuelles et futures.   T. 2 de Changement
     planifié et développement des organisations. Sainte-Foy
     (Qué.) : Presses de l'Université du Québec.
```

On retiendra que le numéro de volume ou de tome est toujours donné en *chiffres arabes*.

6.4 LES MÉMOIRES ET THÈSES

La référence à un *mémoire* ou à une *thèse* (*voir* p. 63) se fait de la même manière qu'à un livre, à quelques variantes près.

1.   Le titre est entre guillemets, avec une majuscule initiale.

2.   Plutôt que la ville et la maison d'édition, on mentionne la nature du document et du diplôme, la ville et l'université.

6.5 LES ACTES DE COLLOQUES

La référence à des *actes de colloques*, ou autres rencontres scientifiques, se fait de la même manière qu'à un ouvrage collectif.

Si les actes sont publiés, on donnera la *date de leur parution* : elle peut être différente de la date du colloque lui-même.

Le titre comporte souvent deux parties, comme si on avait un titre avec sous-titre. Le titre décrit le sujet ou le thème de la rencontre; le sous-titre précise :

1.   La nature du document (actes);
2.   Le numéro (s'il y a lieu) et la nature de la rencontre (colloque, congrès, symposium);
3.   Le nom de l'organisme ou de l'association qui la convoque.

S'ils sont connus, on donne le lieu et la date de la rencontre, à la suite du titre, entre parenthèses.

Pour citer *une communication en particulier*, on procède comme pour un chapitre de livre. Pour les détails de présentation, on se rapportera aux exemples de la page 63.

6.6 LES PÉRIODIQUES

La référence à un *article de périodique* doit comporter les renseignements suivants:

- Nom(s) et prénom(s) de l'auteur ou des auteurs;
- Année de publication;
- Titre de l'article;
- Nom du périodique;
- Titre du thème de la livraison, s'il y a lieu;
- Volume ou numéro, ou les deux;
- Mois ou saison de publication, s'il y a lieu;
- Pages couvertes par l'article.

On entend par «périodiques» les publications qui paraissent à intervalles déterminés -- quotidiens, hebdomadaires, mensuels, trimestriels, etc. -- sous le même nom et dont les exemplaires sont numérotés et datés. Chaque livraison comporte plusieurs articles de divers auteurs.

Ces périodiques sont essentiellement de trois types : les revues et revues savantes (*learned journals*); les journaux, quotidiens ou hebdomadaires (*newspapers*); les magazines, qui sont des revues d'information illustrées à fort tirage.

Dans les mémoires et thèses, on cite surtout les revues : c'est à elles que nous allons surtout nous arrêter.

6.6.1 Revues (savantes)

Pour le *nom de l'auteur* et l'*année de publication*, on suit le même ordre que pour un livre.

Le *titre de l'article* se place entre guillemets, après la date. On ne met qu'une majuscule initiale. Il est suivi du *nom de la revue*, en italiques. Pour ce qui est de l'usage des majuscules dans ce nom, on suit les mêmes règles que celles données pour les titres français et anglais des livres. On ne traduit, évidemment, ni les titres d'articles ni les noms des revues.

Si la revue est thématique, il arrive souvent que la page couverture porte un titre qui indique le thème retenu pour la livraison concernée. Dans la notice, on le mentionnera de la même manière qu'un sous-titre de livre, soit à la suite du nom de la revue, séparé de celui-ci par un deux-points, avec une majuscule initiale et en italiques.

Bien qu'il soit courant d'abréger les noms des revues savantes, surtout américaines, dans certaines disciplines scientifiques, nous ne recommandons pas de le faire dans la liste des références ou la bibliographie d'un mémoire ou d'une thèse. Si, toutefois, on maintient cette pratique, entre autres parce que les références à ces revues sont fort nombreuses, on utilisera les *abréviations normalisées* par les différentes associations et on présentera celles-ci dans la liste des abréviations des pages liminaires.

Après le nom de la revue vient la mention du *numéro* de la livraison concernée. Certaines revues numérotent chaque livraison par «volume» seulement; d'autres le font par «numéro» seulement; d'autres, enfin, par «volume et numéro».

En général, quand la revue est numérotée *par volume*, ce volume reste le même pour toute une année de publication (c'est-à-dire le temps que toutes les livraisons prévues dans une année soient parues, ce qui prend parfois plus de douze mois). Dans ce cas, les pages sont numérotées de façon continue de la première à la dernière livraison d'un volume donné.

Si chaque livraison d'un même volume porte en plus un numéro, la pagination se fait soit par volume, soit par livraison. Quand une revue, enfin, n'utilise *qu'un numéro d'ordre* pour identifier chacune de ses livraisons, il va sans dire que la pagination reprend à 1 à chaque parution.

Signalons que certaines revues sont passées du système de numérotation «par volume» à celui «par numéro seulement», après avoir fait usage du premier pendant plusieurs années.

Pour éviter toute confusion, donc, nous recommandons fortement d'indiquer si on a affaire à un volume, à un numéro ou aux deux quand on réfère à une livraison donnée. Pour ce faire, on place les *abréviations françaises en minuscules*, vol. ou no, devant le chiffre cité. Dans la notice bibliographique, on utilise toujours un *chiffre arabe* pour désigner le volume, même si un chiffre romain apparaît sur le périodique.

Après cette mention, on peut ajouter, entre parenthèses, le *mois* ou la *saison* pour préciser la date de parution. Là encore, on aura recours au *mot français* en *minuscules*, même si on cite une revue anglaise ou étrangère.

La dernière information mentionne *la* ou *les page(s) couverte(s)* par l'article cité. Ces chiffres sont précédés de l'abréviation p., qu'il s'agisse d'une ou de plusieurs pages (et non pp.). Dans le dernier cas, les numéros de la première et de la dernière pages sont séparés par un trait d'union.

Voici un exemple de notice bibliographique pour l'article de revue savante. On remarquera la ponctuation utilisée entre chaque bloc d'informations:

```
Picard, Marc. 1992.  «Aspects synchroniques et diachroniques
     du tu interrogatif en québécois». Revue québécoise de
     linguistique : Morphologie, vol. 21, no 2 (printemps),
     p. 65-75.
```

6.6.2 Magazines et journaux

La référence au *magazine* d'intérêt général ou au *journal* se fait de la même manière qu'à la revue, à cette différence près qu'on ne cite ni le volume ni le numéro d'une livraison, mais le mois, ou le jour et le mois, de sa parution.

Enfin, pour les grands quotidiens qui comportent plusieurs cahiers ou sections, on aura à identifier le numéro ou la lettre de la section concernée en plus du numéro de la page où se trouve l'article cité. Voici un exemple de référence à un *article de quotidien*.

```
Martel, Réginald. 1992.  «Le milieu littéraire et le droit
     d'auteur». La Presse, 16 février, p. C3.
```

Dans le cas des périodiques (revues, magazines ou quotidiens), on ne mentionne, en général, ni la ville ni la maison d'édition.

On signalera toutefois la ville de publication, entre parenthèses après le nom du périodique, pour distinguer deux périodiques qui ont le même nom ou encore pour situer un journal local ou étranger peu connu. Si la ville elle-même est peu connue, on indique l'état, la province ou le pays où celle-ci est située, sous forme abrégée. On sépare les deux informations par une virgule.

Signalons, enfin, que pour les journaux anglais on ne conserve pas l'article défini «The» devant le nom, alors qu'on garde «La» ou «Le» pour les journaux français. On aura ainsi:

New York Times, *Times* (Londres), mais *La Presse*, *Le Monde*.

6.7 QUELQUES AUTRES CAS DE PUBLICATIONS UTILES

6.7.1 Articles d'encyclopédies et de dictionnaires

On réfère à un *article d'encyclopédie* ou *de dictionnaire*, en citant d'abord le nom de l'auteur, si l'article est signé et le nom connu, et ensuite le titre de l'article entre guillemets. On donne enfin le titre de l'encyclopédie ou du dictionnaire, en italiques, et l'édition concernée.

Dans le cas des ouvrages de référence de type encyclopédique, on omet souvent le nom de la ville et celui de la maison d'édition. De même, il n'est pas essentiel de citer les pages couvertes par l'article.

On peut, par ailleurs, référer à un article d'encyclopédie en citant d'abord le titre de celle-ci, suivi de la mention d'édition (p. ex. éd. 1990), lorsque le nom de l'auteur de l'article n'est pas connu. Puis on réfère à l'article, en faisant précéder le titre de la mention «sous».

On trouvera à la page 64 des exemples des deux types de notices.

6.7.2 Comptes rendus de lectures

Les *comptes rendus de lectures* sont une des rubriques permanentes de nombreuses revues savantes. On y réfère donc de la même manière qu'à un article de périodique, à quelques ajouts près. Il est essentiel de préciser qu'il s'agit d'un compte rendu, puis de mentionner le titre et le nom de l'auteur de l'ouvrage critiqué.

On pourra ajouter, après ce titre et entre parenthèses, le nom de la ville, la maison d'édition et l'année de publication de l'ouvrage. Ces mentions sont toutefois facultatives. On trouvera à la page 64 un exemple de compte rendu.

6.7.3 Publications gouvernementales et internationales

Les *publications gouvernementales et internationales*, communément appelées «PGI» ou encore «publications officielles», constituent à elles seules une spécialité de l'activité documentaire. Il existe des brochures complètes -- ou des chapitres entiers dans des ouvrages plus volumineux -- sur la façon de les reconnaître, de les classer et de les répertorier. Nous avons cité quelques-uns de ces ouvrages dans la bibliographie: l'étudiant ou l'étudiante qui doit traiter une grande quantité de PGI aura intérêt à les consulter.

Nous allons donner ci-dessous des informations élémentaires sur le contenu des notices relatives aux publications gouvernementales et internationales. Toute référence à une de ces publications doit comporter les renseignements suivants:

-   Nom de l'autorité gouvernementale -- ou internationale -- qui émet le document: pays, état ou province, ville...;
-   Corps législatif, cour, ministère, conseil, comission, comité... de cette autorité;
-   Autre subdivision: division, service, direction...;
-   Année de publication;
-   Titre du document (en italiques);
-   Nom de la personne qui a rédigé le document (s'il y a lieu);
-   Cote, numéro de série, date précise... (selon les documents);
-   Ville de publication;

-     Nom de l'autorité responsable de la publication (si elle diffère de l'autorité émettrice);
-     Pages citées (s'il y a lieu).

On aura intérêt à établir, dès le début de sa recherche, la façon dont on va citer les PGI dans le texte et les répertorier à la fin du mémoire ou de la thèse, et à uniformiser cette présentation, surtout si l'on doit traiter un nombre important de celles-ci.

Bien qu'il soit d'usage de donner le nom de l'autorité gouvernementale (Canada, Québec, États-Unis...) à la place du nom de l'auteur dans les références, il peut être plus utile de faire un autre choix, surtout si l'on se place du point de vue du lecteur. On pourra ainsi référer à un document par le nom du ministère qui l'a émis, ou par son titre officiel, ou encore par une désignation communément admise dans le cas d'un document connu et souvent cité:

par exemple *Rapport Laurendeau-Dunton*, plutôt que *Rapport de la Commission Royale d'enquête sur le bilinguisme et le biculturalisme.*

Une fois son choix fait, on s'y tiendra tout au long du texte et l'on prendra soin, dans la liste des références, de présenter l'ouvrage sous l'appellation utilisée dans les références «auteur-date» en renvoyant à la référence complète, de la façon déjà indiquée à la page 24 du présent ouvrage.

De la même manière, si l'on cite l'organisme qui agit comme éditeur pour un gouvernement, on verra à uniformiser le libellé de son nom.

Pour les publications du gouvernement américain, par exemple, on aura toujours, dans l'ordre:

Washington, D.C.: U.S. Government Printing Office

Dans le cas du Québec, l'organisme éditeur s'est longtemps appelé «Éditeur officiel». Depuis le milieu des années quatre-vingt, il se nomme «Les Publications du Québec». On aura donc, selon l'année de publication du document cité:

Québec: Éditeur officiel
Québec: Les Publications du Québec

Au niveau fédéral, l'organisme éditeur a longtemps été appelé «Imprimeur de la Reine». On trouve maintenant comme éditeur tout simplement le ministère des Approvisionnements et Services. Pour le gouvernement du Canada, on aura donc, selon les cas:

```
Ottawa:  Imprimeur de la Reine
Ottawa:  ministère des Approvisionnements et Services
```

On trouvera à la page 65 un choix de notices relatives à des publications gouvernementales.

6.8 AUTRES CATÉGORIES DE DOCUMENTS

Les documents que nous venons de décrire sont ceux que l'on retrouve le plus souvent dans les bibliographies de mémoires ou de thèses, mais il en existe bien d'autres.

Pour l'étudiant ou l'étudiante qui aurait à travailler sur des sources autres que des documents écrits et publiés, nous avons choisi de présenter en annexe (*voir* p. 65-66) des notices de: *film, vidéo, disque, logiciel*, prestations diverses (*pièce de théâtre, concert, émission de télévision), oeuvre d'art* et *entrevue*. Pour plus de détails sur ces autres types de documents, on consultera des ouvrages spécialisés.

CHAPITRE VII

EXEMPLES DE NOTICES BIBLIOGRAPHIQUES

7.1 LIVRES

Un auteur

Bertrand, Denis. 1993. *Le travail professoral reconstruit: Au-delà de la modulation*. Sainte-Foy (Qué.): Presses de l'Université du Québec, 224 p.

Deux auteurs

Tarrab, Gilbert, et Robert Pelsser. 1992. *Le Rorschach en clinique et en sélection*. Marseille: Hommes et Perspectives, 330 p.

Trois auteurs

Cajolet-Laganière, Hélène, Pierre Collinge et Gérard Laganière. 1986. *Rédaction technique et administrative*, 2ᵉ éd. rev. et augm. Sherbrooke: Éditions Laganière, 332 p.

Plus de trois auteurs

Tremblay, Gaëtan, Jean-Guy Lacroix, Marc Ménard et Marie-Josée Régnier. 1991. *Télévision: Deuxième dynastie*. Sainte-Foy (Qué.): Presses de l'Université du Québec, 164 p.

Organisme public comme auteur

Secrétariat d'État, Bureau des traductions, Direction de l'information. 1987. *Guide du rédacteur de l'administration fédérale*. Ottawa: Approvisionnements et Services Canada, 218 p.

Directrice de publication comme auteure

Caron, Anita (dir. publ.). 1991. *Femmes et pouvoir dans l'Église*. Coll. «Études québécoises», no 19. Montréal: VLB éditeur, 256 p.

Oeuvre d'un auteur traduite par un autre

Vázquez Montalbán, Manuel. 1989. *La joyeuse bande d'Atzavara*. Trad. de l'espagnol par Bernard Cohen. Paris: Seuil, 320 p.

Oeuvre en plusieurs tomes, titre général

Tellier, Yvan, et Roger Tessier (dir. publ.). 1990-1992. *Changement planifié et développement des organisations*. 8 t. Sainte-Foy (Qué.): Presses de l'Université du Québec.

Oeuvre en plusieurs tomes, un tome en particulier

Tellier, Yvan, et Roger Tessier (dir. publ.). 1990. *Priorités actuelles et futures*. T. 2 de *Changement planifié et développement des organisations*. Sainte-Foy (Qué.): Presses de l'Université du Québec.

Livre dans une collection

Andrès, Bernard. 1992. *Profils du personnage chez Claude Simon*. Coll. «Critique», no 35. Paris: Minuit, 284 p.

Édition autre que la première

Grevisse, Maurice. 1986. *Le Bon Usage: Grammaire française*, 12e éd. ref. par André Goosse. Gembloux (Belg.): Duculot, 1768 p.

Mention de l'auteur de la préface

Tarrab, Gilbert, et Robert Pelsser. 1992. *Le Rorschach en clinique et en sélection*. Préf. de Didier Anzieu. Marseille: Hommes et Perspectives, 330 p.

Ouvrage en langue étrangère, titre traduit

García Márquez, Gabriel. 1989. *El General en su laberinto* [Le général dans son labyrinthe]. Madrid: Mondadori España.

7.2 CHAPITRES DE LIVRES

Chapitre d'un auteur dans l'oeuvre d'un autre

Boudon, Pierre. 1991. «L'architecture des années 30, ou l'inversion des signes». In *Masses et culture de masse dans les années 30*, sous la dir. de Régine Robin, p. 137-162. Paris: Éditions Ouvrières.

Chapitre d'un auteur dans son oeuvre

Lacroix, Jean-Guy. 1990. «Les artistes et le fisc». Chap. in *La condition d'artiste: une injustice*, p. 129-148. Outremont (Qué.): VLB éditeur.

7.3 AUTRES DOCUMENTS UTILES

Actes de colloque

Bélanger, Yves, et Michel Lévesque (comp.). 1992. *René Lévesque. L'homme, la nation, la démocratie: Actes du 5ᵉ colloque Les Leaders politiques du Québec contemporain* (Montréal, 22-24 mars 1991). Sainte-Foy (Qué.): Presses de l'Université du Québec, 496 p.

Communication dans des actes de colloque

Verquerre, Régis. 1990. «Étude comparative des attitudes et valeurs éducatives des parents». In *Éducation familiale et intervention précoce: Actes du deuxième colloque international en éducation familiale* (Montréal, 15-17 mai 1989), sous la dir. de Stéphanie Dansereau, Bernard Terrisse et Jean-Marie Bouchard, p. 310-325. Montréal: Agence d'Arc.

Mémoire ou thèse

Gervais, Bertrand. 1988. «Récits et actions: Situations textuelles et narratives du roman d'aventures». Thèse de doctorat, Montréal, Université du Québec à Montréal, 497 p.

Catalogue d'exposition

Daignault, Gilles (cons. inv.). 1992. *Montréal 1942-1992: L'anarchie resplendissante de la peinture.* Catalogue d'exposition (Montréal, Galerie de l'UQAM, 14 mai-2 août 1992). Montréal: Université du Québec à Montréal. 88 p., 42 reprod. coul.

7.4 ARTICLES

Article de revue

Poteet, Maurice. 1988. «Avant la route, le village». *Voix et images: Jack Kérouac et l'imaginaire québécois*, vol. 13, no 3 (printemps), p. 388-396.

Article de journal

Pelletier, Réal. 1993. «La France à l'heure américaine». *La Presse* (Montréal), 13 février, p. B6-B7.

Articles d'encyclopédies et de dictionnaires

Lancelot, Alain. «Partis politiques». In *Encyclopaedia Universalis*, éd. 1990.

Rey, Alain (dir. publ.). *Le Grand Robert de la langue française: Dictionnaire alphabétique et analogique de la langue française*, 2e éd. ent. rem. et enrich. (1990). Sous «Instance», t. 5.

La Grande Encyclopédie, éd. 1972. Sous «Bolívar (Simón)», vol. 3. Paris: Librairie Larousse.

Compte rendu de lecture dans une revue

Desbiens, Albert. 1990. Compte rendu de *Bound to Lead: The Changing Nature of American Power*, de Joseph S. Nye Jr. (New York, Basic Books, 1990). *Cahiers de recherche sociologique: Les États-Unis en question*, no 15 (automne), p. 127-129.

7.5 PUBLICATIONS GOUVERNEMENTALES ET INTERNATIONALES

Québec, ministère des Affaires internationales.   1990. *Recueil des ententes internationales du Québec, 1984-1989.* EOQ 2-551-14121-4. Québec: Les Publications du Québec, 952 p.

Québec, ministère des Affaires municipales, Direction générale de la prévention des incendies.   1988. *Norme pour l'installation des systèmes d'extincteurs automatiques à eau.* NFPA 13-1987. Québec: Les Publications du Québec, 341 p.

Canada, ministère du Revenu, Douanes et Accise. 1989. *L'accord de libre-échange entre le Canada et les États-Unis d'Amérique: Codification ministérielle de la nomenclature tarifaire et statistique du Canada pour les importations.* RV55-2-1989F. Ottawa: Approvisionnements et Services Canada.

Canada, Conseil du Trésor, Direction de la politique administrative, Division de la gestion financière. 1973. *Guide d'administration financière pour les ministères et les organismes du Gouvernement du Canada.* Ottawa: Imprimeur de la Reine.

7.6 AUTRES TYPES DE SOURCES

Film

Poirier, Anne-Claire. 1980. *Mourir à tue-tête.* Film 16 mm, coul., 95 min 55 s. Montréal: ONF.

Vidéo

Guy, Suzanne. 1987. *Les Bleus au coeur.* Prod. Aimée Danis. Montréal: Films du crépuscule. Vidéocassette VHS, 81 min, son, couleur.

Disque

Bach, Jean-Sébastien. *Concertos brandebourgeois.* Jean-Pierre Rampal, flûte, et Robert Veyron-Lacroix, clavecin; Orchestre de chambre de la Sarre, Karl Ristenpart, chef d'orch. S. l.: Musidisc RC649, 1969. Disque 33 1/3 t.p.m., stéréo.

Logiciel

WordPerfect: Word Processing Software, version 4.2 (IBM PC/XT/AT, 256 KO). Orem (Utah): WordPerfect Corporation, 1987.

Pièce de théâtre

Dubé, Marcel. *Les Beaux Dimanches*. Mise en scène de Lorraine Pintal. Théâtre du nouveau monde, Montréal, 19 janv.-20 févr. 1993.

Les Aiguilles et l'opium. Conception scénographique et interprétation de Robert Lepage. Musique et claviers de Robert Caux. Salle Denise-Pelletier, Nouvelle Compagnie théâtrale, Montréal, 28 janv.-19 févr. 1993.

Concert

Rampal, Jean-Pierre. Récital. Oeuvres de Mozart, Stamitz, Bach, Mendelssohn et Verdi. Avec l'Ensemble Amati; Raymond Dessaints, chef d'orch. Salle Wilfrid-Pelletier, Place des Arts, Montréal, 18 février 1993.

Émission de télévision

Montréal P.Q. 23 février 1993. Téléroman. Texte de Victor Lévy-Beaulieu. Réalisation de Lorraine Pintal. Montréal: Société Radio-Canada.

Oeuvre d'art

Pellan, Alfred. 1945. *Conciliabule*. Huile sur toile: 208 x 167,5 cm. Coll. Musée du Québec. Telle que reproduite dans *Montréal 1942-1992: L'Anarchie resplendissante de la peinture*. Montréal: Galerie de l'UQAM, 1992, p. 54.

Entrevue

Aron, Raymond. Témoignage sur la séparation de Sartre et Nizan. Rencontres avec Annie Cohen-Solal, à Paris, les 30 avril 1980 et 9 mars 1983. Tel que cité dans *Sartre, 1905-1980*, d'Annie Cohen-Solal. Paris: Gallimard, 1985, p. 118.

APPENDICE A

EXEMPLES DE PAGES LIMINAIRES

---

[1] Sur les pages d'exemples, le folio et le numéro de l'appendice ont été placés au bas des pages, pour ne pas qu'on les confonde avec le numéro de page qui fait partie de l'exemple.

UNIVERSITÉ DU QUÉBEC À MONTRÉAL

ÉVALUATION DE TESTS D'OLFACTION

POUR LE DÉPISTAGE D'ATTEINTES OLFACTIVES

EN MILIEU DE TRAVAIL

MÉMOIRE

PRÉSENTÉ

COMME EXIGENCE PARTIELLE

DE LA MAÎTRISE EN BIOLOGIE

PAR

ISABEL FORTIER

JUILLET 1989

UNIVERSITÉ DU QUÉBEC À MONTRÉAL

ASPECTS DU GOUVERNEMENT HARMONIQUE

THÈSE

PRÉSENTÉE

COMME EXIGENCE PARTIELLE

DU DOCTORAT EN LINGUISTIQUE

PAR

CHRISTIAN DUNN

MAI 1992

TABLE DES MATIÈRES

LISTE DES FIGURES

LISTE DES TABLEAUX

LISTE DES ABRÉVIATIONS, SIGLES ET ACRONYMES

ACUQAM   Association des cadres de l'Université du Québec à Montréal

ACDEAULF   Association canadienne d'éducation des adultes des universités de langue française

ACFAS   Association canadienne-française pour l'avancement des sciences

ADEM   Association des diplômé-es en études sur la mort

AEBEM   Association étudiante du baccalauréat en enseignement des mathématiques

AME   Assemblée modulaire étudiante

AUCC   Association des universités et collèges du Canada

BACUM   Baccalauréat par cumul de certificats

BADADUQ   Banque de données à accès direct de l'Université du Québec

BRI   Bureau de recherche institutionnelle

BSSET   Bureau de la santé, de la sécurité et de l'environnement au travail

CA   Conseil d'administration

CAFACC   Comité d'aide financière aux chercheurs-es et aux créateurs-trices

CERPE   Centre de recherche sur les politiques économiques

CIADEST   Centre interuniversitaire d'analyse du discours et de sociocritique des textes

CINBIOSE   Centre d'étude des interactions biologiques entre la santé et l'environnement

CIRADE   Centre interdisciplinaire de recherche sur l'apprentissage et le développement en éducation

CIRTOX   Centre interuniversitaire en toxicologie de l'environnement

CNRC   Conseil national de recherches du Canada

COCO   Comité de coordination des familles

CREDIT   Centre de recherche en développement industriel et technologique

CREPUQ   Conférence des recteurs et des principaux des universités du Québec

CRSNG   Conseil de recherche en sciences naturelles et en génie

DEAR   Décanat des études avancées et de la recherche

DGERU   Direction générale de l'environnement et de la recherche universitaire (au Québec)

DSA   Département des sciences administratives

ENAP   École nationale d'administration publique

ETS   École de technologie supérieure

FCAR   Fonds pour la formation des chercheurs-es et l'aide à la recherche

FRSQ   Fonds de la recherche en santé du Québec

GEOTERAP Groupe de recherche en géologie du terrain

GIRICO   Groupe interuniversitaire de recherche en informatique cognitive des organisations

GREF   Groupe de recherche en écologie forestière

PAFACC   Programme d'aide financière aux chercheurs-es et aux créateurs-trices

PGI   Publications gouvernementales et internationales

PVM   Projet de vie modulaire

SCEAR   Sous-commission des études avancées et de la recherche

SEUQAM   Syndicat des employé-es de soutien de l'UQAM

SIGIRD   Système intégré de gestion informatisé des ressources documentaires

LISTE DES SYMBOLES

D	Diamètre (m)
D_E	Diamètre effectif (m)
D_{60}	Diamètre laissant passer 60 % des particules (m)
D_{10}	Diamètre laissant passer 10 % des particules (m)
d	Diamètre d'une particule (m)
d_1	Diamètre de la particule 1 (m)
d_2	Diamètre de la particule 2 (m)
$\overset{\cdot}{d}$	Diamètre géométrique moyen (m)

G	Gradient de vitesse (s^{-1})
$G^{\cdot}$	Gradient de vitesse optimal (s^{-1})
g	Accélération due à la pesanteur (m/s^2)

H_T	Perte de charge à $T°C$ (m)
H_{10}	Perte de charge à 10°C (m)
h	Hauteur (m)
h_L	Perte de charge dans le filtre lors du lavage (m)

M'	Constante dans la loi de Chick modifiée
m	Masse (g)
m_e	Masse d'un volume d'eau (g)
m_s	Masse d'un volume de sable (g)
m_{es}	Masse d'un volume d'eau et de sable mélangés (g)

N_0	Nombre initial de particules
N_R	Nombre de Reynolds
n	Nombre de bassins de floculation
n	Fréquence

T	Température (°C)
t	Temps (s)
t_p	Temps de contact requis pour obtenir un taux P (%) d'élimination des microorganismes

$T_{\frac{1}{2}}$ Demi-vie (s)
t_{99} Temps de contact nécessaire pour éliminer 99 % des microorganismes

U Charge superficielle (m/h)
U_L Charge superficielle pour un lavage (m/h)
U_c Charge superficielle critique (m/h)

V Vitesse d'écoulement entre les particules dans le filtre (m/s)
V_P Vitesse de chute d'une particule (m/s)
V_V Vitesse de chute du voile de boue (m/s)
V_C Vitesse critique (m/s)
V_H Vitesse horizontale de l'eau (m/s)
V_O Vitesse de chute de cible (m/s)
v Vitesse relative d'une pale (m/s)

w Largeur (m)
x Fraction (en masse) des particules retenues entre deux tamis consécutifs
Y Production
Z Valence
Z_n Valence de l'ion n

α Constante déterminée empiriquement dans l'équation d'Arrhenius
β Volume d'eau filtrée par unité de surface (m)
Γ Facteur d'efficacité des collisions
δ Épaisseur du diélectrique
ε Constante diélectrique
μ Force ionique

APPENDICE B

EXEMPLES DE PAGES DU DÉVELOPPEMENT

CHAPITRE IV

ÉLÉMENTS DE MÉTHODOLOGIE

Dans le chapitre précédent, nous avons identifié les variables et explicité les objectifs propres à cette recherche. Dans le présent chapitre, nous essayerons d'établir les divers éléments de méthodologie qui encadreront cette recherche.

En effet, dans un premier temps, nous établirons le type de recherche que nous avons choisi, pour ensuite présenter un aperçu des clientèles visées et arriver à établir plus clairement notre devis de recherche. Nous terminerons ce chapitre en donnant un aperçu de la cueillette des données relatives aux variables dépendantes et au modèle interactionnel d'intervention.

4.1   Le type de recherche

Si nous avons choisi la recherche-action, c'est qu'elle nous semble être une méthode qui peut servir à la fois à l'analyse et à la modification, en cours de route, des éléments qui permettront d'obtenir les résultats attendus.

Pour mener à bien cette recherche-action, nous avons tenu compte des éléments qui définissent une recherche-action[1]. D'après les auteurs cités, une recherche-action se développe généralement en six phases principales:

---

[1] Gabriel Goyette, Jean Villeneuve, Claudine Nézet-Séguin, *Recherche-action et perfectionnement des enseignants: Bilan d'une expérience*, Sillery, Presses de l'Université du Québec, 1984, p. 54.

CHAPITRE II

CONTEXTE THÉORIQUE

Depuis plusieurs années, chercheurs et chercheuses portent un intérêt particulier à la question de l'émergence des conduites différenciées selon le sexe. On a proposé quelques théories afin d'expliquer le développement de ces comportements (Bem, 1981; Kohlberg, 1966; Mischel, 1966, 1970); cependant, aucune n'a pu cerner le phénomène dans toute sa complexité et rendre compte, en particulier, des rôles des facteurs biologiques et des processus d'apprentissage. Selon des chercheurs, l'apparition, dès le plus jeune âge, de comportements différenciés selon le sexe indique qu'il existe une base biologique aux différences de conduites entre les hommes et les femmes. D'autres y voient plutôt l'indice d'une socialisation précoce. Ainsi, les parents, principaux agents de socialisation au cours des premiers mois, auraient tendance, parfois même à leur insu, à renforcer dès la naissance les comportements qu'ils jugent appropriés au sexe de leur enfant. Ces pratiques de socialisation différentielle seraient tributaires de facteurs culturels, historiques et sociaux qui valorisent, entre autres, chez l'homme, l'autonomie, l'activité, la réussite et, chez la femme, la dépendance, la sensibilité et l'affectivité.

Plusieurs études montrent que les adultes n'interagissent pas de la même façon avec les enfants des deux sexes. Dès les premiers mois, les parents prennent plus souvent les garçons dans leurs bras et leur accordent davantage de stimulations physiques qu'aux filles (Jacobs et Moss, 1976; Landerholm et Scriven, 1981; Lewis, 1972; Moss, 1967; Trevathan, 1981). Par contre, ils regardent plus les filles et leur parlent plus aussi (Thoman, Leiderman et Olson, 1972). Cela pourrait favoriser chez est pris d'une angoisse paralysante. Quant à M. Robert, il semble éprouver, au début, un sentiment d'inquiétante étrangeté face au nouveau-né. Les signes d'angoisse précèdent l'avènement d'un plaisir qui est éprouvé dans les contacts ultérieurs avec l'enfant. Cette séquence d'affects subis par les pères nécessite une interprétation. Nous supposons que l'angoisse vécue et exprimée sous forme d'anxiété est la marque du premier temps du processus de désidentification qui provoque un retour dans le moi d'une partie de l'investissement issue de l'identification inconsciente. L'angoisse serait, dans ce cas, occasionnée par l'énergie libérée et non encore maîtrisée par le moi. Au moins deux facteurs conditionnent les réactions des pères au moment de la désidentification: d'abord la quantité d'énergie libérée et ensuite la capacité du moi à introjecter[1] le retour d'investissement. Le travail d'introjection accompli par le moi est responsable du plaisir éprouvé par les pères lors des premiers contacts avec l'enfant. Cela démontre que le moi réussit dans sa tâche de contenir et de lier l'énergie libérée. Nous avons déjà mentionné que M. Simon, après l'accouchement, retourne à la pouponnière et, pendant ce court laps de temps, «rêve» de son enfant plus qu'il ne l'a fait durant toute la période de la grossesse.

3.7   Échec partiel de l'introjection

On peut se demander ce qui se produit lorsque le moi ne suffit pas à la tâche d'introjecter l'énergie libérée par la désidentification. Nous constatons alors chez les pères des réactions plus ou moins violentes et un retour partiel (ou ponctuel) à l'identification inconsciente. M. Simon, en quittant l'hôpital, est profondément bouleversé. Arrivé chez lui, il éclate en sanglots et il ajoute que cela signifie que:

---

[1] La notion d'introjection en psychanalyse a reçu plusieurs définitions de par les usages théoriques multiples que lui confèrent certains auteurs, notamment: Freud, Abraham, Klein, etc. Cette notion, nous la devons à Ferenczi, qui en précise le sens dans son article «Introjection et transfert». C'est sur celui-ci que nous nous appuyons dans le cadre de notre travail. Donc, pour Ferenczi, l'introjection est: «... un mécanisme permettant d'étendre au monde extérieur les intérêts primitivement auto-érotiques, en incluant les objets du monde extérieur dans le moi.»

Le domaine propre de l'archéologie n'est pas, malgré ce qu'il peut en paraître, celui des sciences humaines, mais concerne tout type d'énoncé quel qu'il soit. Par contre, il faut tout de même choisir à l'avance un domaine où les relations risquent d'être nombreuses, denses, et, justement, la région où les événements discursifs sont les plus liés les uns aux autres, et leurs relations les mieux déchiffrables, est celle de la science. Mais il faut alors se garder de confondre deux ordres de problèmes disjoints. Premièrement, celui qui concerne les conditions de possibilités d'une science comme science.

> [...] Il est relatif à son domaine d'objet, au type de langage qu'elle utilise, aux concepts dont elle dispose ou qu'elle cherche à établir; il définit les règles formelles et sémantiques qui sont requises pour qu'un énoncé puisse appartenir à cette science; il est institué soit par la science en question dans la mesure où elle se pose à elle-même ses propres normes, soit par une autre science dans la mesure où elle s'impose à la première comme modèle de formalisation: de toutes façons, ces conditions de scientificité sont intérieures au discours scientifique en général et ne peuvent être définies que par lui.[60]

Deuxièmement, le problème qui concerne les conditions de possibilités d'une science dans son existence historique; selon Foucault, il est extérieur et non superposable au précédent: «Il est constitué par un champ d'ensembles discursifs qui n'ont ni la même découpe, ni la même organisation, ni le même fonctionnement que les sciences auxquelles ils donnent lieu.[61]» Même si Foucault a, dans sa jeunesse, étudié avec G. Bachelard, M. Guéroult et G. Canguilhem, et qu'il garde de leur influence une façon particulière d'aborder la philosophie, c'est-à-dire par les concepts tels qu'ils sont à l'oeuvre dans les sciences[62], il ne voit pas, dans les ensembles

---

[60] Michel Foucault, *Réponse au cercle d'épistémologie*, p. 34. Il nous faut noter que le problème de la scientificité comme telle est évacué, tout comme chez Kuhn, et que cela pose de nombreux problèmes.

[61] *Ibid.*, p. 34.

[62] Mais du point de vue, par exemple, des seuils épistémologiques qui rompent le cumul des connaissances, de systèmes clos, topologies conceptuelles qui scandent l'espace du discours ou encore les déplacements et les transformations dans des champs de validité et les règles d'usage des concepts.

Tableau 3.2
Influence relative des facteurs météorologiques,
synoptiques, incluant la prise en glace de la
Baie d'Hudson, sur la teneur en SO_4^{2-} des précipitations

Analyse multivariée	R^{2*}	F^{**}	(%)
1. Avant la prise en glace de la Baie			
Température de l'air	0,05728	0,061	
Hauteur de la lame précipitée	0,116 98	0,041	
Humidité relative de l'air	0,119 36	0,106	
Déplacement synoptique	0,182 65	1,369	53
Direction du vent	0,233 67	0,999	
2. Après la prise en glace de la Baie			
Température de l'air	0,173 85	1,214	
Hauteur de la lame précipitée	0,195 96	9,016	
Humidité relative de l'air	0,252 41	18,155	36
Déplacement synoptique	0,891 53	20,748	41
Direction du vent	0,945 43	1,975	
3. Toute la période d'observation			
Température de l'air	0,058 77	0,273	
Hauteur de la lame précipitée	0,097 79	0,000	
Humidité relative de l'air	0,098 41	0,003	
Déplacement synoptique	0,199 57	3,236	71
Direction du vent	0,235 35	1,076	

*R^2 : coefficient de corrélation partiel.

**F : valeur du test de Fisher.

Tableau 6.3
Hauteur cumulée des précipitations à la base météorologique
d'Environnement Canada

Période d'observation	Type de précipitation		
	pluie (mm)	neige (cm)	équivalent en eau (mm)
10 nov. - 03 déc.	Tr*	3,2	40,6
04 déc. - 07 janv.	0	48,5	48,1
08 janv. - 03 févr.	Tr	16,7	15,5
04 févr. - 09 mars	0,6	19,7	17,9
10 mars - 29 mars	Tr	27,4	27,4
Total	0,6	155,5	149,5

*Tr: traces.

Tableau 6.4
Hauteur cumulée des précipitations solides aux diverses stations
d'observation

Station	Période d'observation				
	10 nov.-03 déc.	4 déc.-07 janv.	08 janv.-03 févr.	04 févr.-09 mars	10 mars-29 mars
	Couche 1 (cm)	Couche 2 (cm)	Couche 3 (cm)	Couche 4 (cm)	Couche 5 (cm)
Ouest	37	7	25	27	3
Centre	31	(6)	6	8	18
Est	36	4	15	14	21

Tableau 7.2 Unité de mesures utilisées en adoucissement de l'eau

Unité	Concentration (mg/L de CaCO₃)	Parties par 100 000 (CaCO₃)	Grain par gallon (US)	Grain par gallon (Imp)	Degré Clark	Degré français	Degré allemand	Équivalent par million (CaCO₃)
1 mg/L (CaCO₃)	1,0	0,1	0,0584	0,07	0,07	0,1	0,0584	0,02
1 partie de CaCO₃ par 100 000	10,0	1,0	0,584	0,7	0,7	1,0	0,560	0,2
1 grain/gallon (US)	17,0	1,71	1,0	1,2	1,2	1,71	0,958	0,342
1 grain/gallon (Imp)	14,3	1,43	0,833	1,0	1,0	1,43	0,800	0,286
1 degré anglais (Clark)	14,3	1,43	0,833	1,0	1,0	1,43	0,800	0,286
1 degré français	10,0	1,0	0,584	0,7	0,7	1,0	0,560	0,2
1 degré allemand	17,9	1,79	1,04	1,24	1,24	1,79	1,0	0,358
1 équivalent par million	50,0	5,0	2,92	3,51	3,51	5,0	2,79	1,0

D'après J. F. J. Thomas, «Scope, Procedure and Interpretation of Survey Studies». *Water Survey Report N° 1*, Department of Mines and Technical Surveys, Mine Branch, Industrial Minerals Division, Industrial Water Resources of Canada, 1982, p. 28.

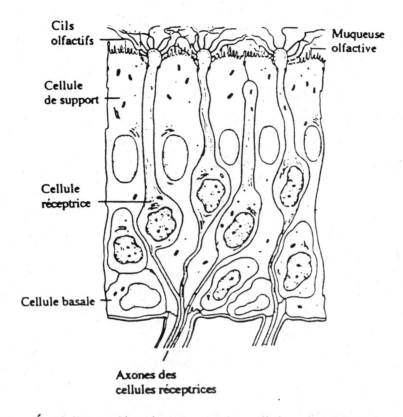

Figure 1.1 Épithélium olfactif contenant les cellules réceptrices, les cellules basales et les cellules de support. (Tirée de Kandel et Schwartz, 1985.)

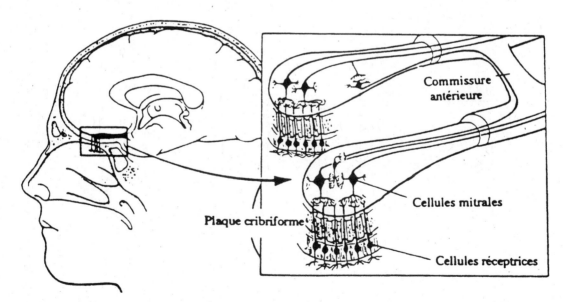

Figure 1.2 Passage des axones des récepteurs olfactifs via la plaque cribriforme. (Tirée de Kandel et Schwartz, 1985.)

1.3   Évolution des modèles membranaires

Qu'est ce qu'une membrane?   La vision que nous avons aujourd'hui des membranes cellulaires est bien différente de celle que les scientifiques du début du siècle avaient élaborée.

C'est Overton qui, le premier, a défini un modèle de structure membranaire: celle-ci était représentée comme une couche continue de lipides traversée par des pores permettant le passage des électrolytes (fig. 1.2a). En 1925, Gortner et Grendel présentaient la structure membranaire comme étant composée de deux couches monomoléculaires de lipides intercalées de chaînes hydrocarbonnées, où les têtes hydrophiles étaient exposées aux surfaces interne et externe (fig. 1.2b). Dix ans plus tard, Danielli et Davson proposaient à leur tour un autre modèle: la structure lipidique de la membrane y était insérée entre deux couches de protéines. Le modèle de Danielli et Davson sera accepté et maintenu pendant une trentaine d'années (fig. 1.2c). En 1965, Robertson proposa, pour sa part, un modèle différent des trois précédents, dont on peut voir le schéma à la figure 1.2d: on remarquera que celui-ci

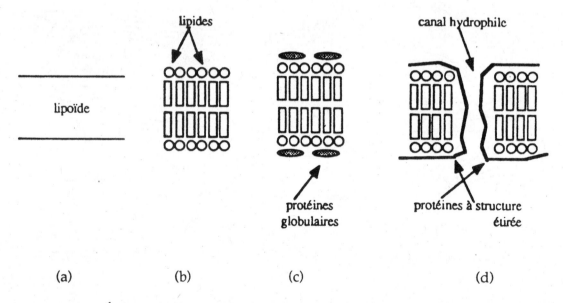

(a)   (b)   (c)   (d)

Figure 1.2   Évolution des différents modèles membranaires.

APPENDICE C

EXEMPLES DE PAGES ANNEXES

NOTES ET RÉFÉRENCES

Chapitre I

1. Mario Vargas Llosa, *L'homme qui parle*, Paris, Gallimard, 1989.

2. Voir en particulier Clifford Geertz, *The Interpretation of Culture*, New York, Basic Books, 1973, et James Clifford et George E. Marcus, *Writing Culture: The Poetics and Politics of Ethnography*, Berkeley, University of California, 1986. Les références à ces deux ouvrages montrent l'étendue de l'éventail sur lequel travaille l'anthropologie.

3. Fernand Braudel, *Écrits sur l'Histoire*, coll. «Champ», Paris, Flammarion, 1988, p. 265.

4. Ralph Beals, «Acculturation», in *Anthropology Today*, Chicago, University of Chicago Press, 1962, p. 375-395.

5. Dans un séminaire, Lévi-Strauss, qui ne l'utilise pas, dit un jour sa méfiance envers ce néologisme barbare.

6. Nous pensons ici à un très bel ouvrage d'Egon Schaden, *Aculturação Indígena*, São Paulo, coll. «Biblioteca Pioneira de Ciencias Sociais», Universidade de São Paulo, 1969, dont le sous-titre est «Essai sur les facteurs et les tendances de changements culturels chez les tribus indiennes en contact avec le monde des Blancs».

7. Robert F. Murphy et Julian H. Steward, «Tappers and Trappers: Parallel Process in Acculturation», in *Economic Development and Cultural Change*, vol. 4, 1956, p. 335-355.

8. Voir Schaden, p. 296.

Chapitre II

1. Quant à la notion d'acculturation, elle est beaucoup plus ancienne. Elle remonte aux années 1930, lorsqu'aux États-Unis, en réaction contre le courant évolutionniste encore à l'oeuvre, les premières recherches sur l'acculturation définie, selon Herskovits, comme «tous les phénomènes d'interaction qui résultent du contact de deux cultures» sont conduites sur le terrain.

2. Déjà dans les années 1950, des recherches interculturelles (*cross-cultural*) avaient été poursuivies pour comparer de manière objective les comportements de groupes sociaux. Ces méthodes empruntaient largement à Piaget, à la psychologie génétique et au behaviorisme. On cherchait à mesurer le degré d'acculturation grâce à des échelles de valeur, comme si la culture était de nature objective. *Voir* «La communication interculturelle: Constitution d'une nouvelle discipline», *Études et Documents*, Paris, Unesco, 1979.

3. «Relations interculturelles: écoles, méthodes et thèmes de recherche», in *Introduction aux études interculturelles*, Paris, Unesco, 1980, p. 18-19.

4. *Ibid*, p. 20.

5. Voir Pierre Clastres, «De l'ethnocide», in *Écrits d'anthropologie politique*, Paris, Seuil, 1980, p. 47-57.

6. R. Bruce Morrisson et C. Roderick Wilson (dir. publ.), *The Canadian Experience*, Toronto, McClelland & Stewart, (1986), 1990. Notre petite critique, qui est un prétexte, n'infère en rien de l'intérêt de cet excellent recueil de textes que nous recommandons vivement.

7. *Ibid*, p. 19-20.

8. Edward T. Hall, «Acculturation as Transaction», communication donnée dans le cadre d'une conférence sur l'acculturation à l'Unesco, en novembre 1981, à laquelle nous participions.

9. Ce n'est pas le lieu d'en parler ici, mais il est évident que l'«acculturation» ne joue pas que dans un sens. Tous les ethnologues sont «acculturés» jusqu'à un certain point. Ce qui rend d'ailleurs souvent fort difficiles les passages d'une société à l'autre, qui sont dans des temps et des espaces différents.

10. «Sad Distinction for the Sioux: Homeland is No. 1 in Poverty», *New york Times*, 20 sept. 1992. Notons, sauf exception, que nous connaissons les lieux dont nous parlons dans ce texte.

11. L'American Indian Movement (AIM) est un mouvement radical né au début des années 1970, en particulier à Minneapolis, Minn., où l'on trouve une population autochtone importante composée surtout de Chippewa (Ojibwa) et de Sioux (Minneconjou et Oglala). Des problèmes tels que l'alcoolisme, la drogue, la violence, le chômage qui prédominent tant chez les Indiens des centres urbains que des réserves avaient inspiré les fondateurs du mouvement de tenter de changer le cours des événements. En 1973, l'AIM occupait le petit village de Wounded Knee, situé dans les limites de la réserve de Pine Ridge et site historique du massacre de 1890, date qui marque la fin du mouvement messianique *Ghost Dance*.

GLOSSAIRE

Alinéa. Quatrième niveau de subdivision du chapitre. L'alinéa regroupe des phrases qui ont entre elles un lien logique. Les alinéas sont séparés visuellement les uns des autres par un renfoncement du premier mot, par un interligne supplémentaire, ou les deux.

Article. Deuxième niveau de subdivision du chapitre. L'article regroupe des paragraphes, eux-mêmes composés de divers alinéas.

Belle page. Page de droite dans un document, en particulier la première page d'un chapitre ou de toute autre subdivision importante du texte: table des matières, bibliographie, index, etc.

Corps. Une des trois dimensions d'un caractère typographique, en l'occurrence sa hauteur.

Folio. Chiffre qui numérote chacune des pages d'un document, appelé couramment «numéro de page».

Graisse. Épaisseur (ou *force*) du trait qui forme un caractère typographique. En général, il y a trois graisses par caractère: maigre, demi-gras, gras.

Justification. Longueur des lignes pleines d'un texte entre les marges de gauche et de droite. Opération qui consiste à aligner un texte entre deux marges.

Notation pseudo-décimale. Système de numérotation des différentes subdivisions d'un chapitre qui utilise les chiffres et le point. Également appelé «système de numérotation international».

Paragraphe. Troisième niveau de subdivision du chapitre. Le paragraphe regroupe des alinéas.

Perluète. Conjonction «et» représentée par le symbole &, aussi nommée «et commercial». Ce caractère terminait autrefois l'alphabet. D'usage courant dans les textes français jusqu'à la fin du XVIIIe siècle, il n'est plus employé de nos jours que sur les enseignes et dans les raisons sociales figées (& Fils, & Compagnie). Son emploi est encore très fréquent en anglais pour remplacer la conjonction *and*.

RÉFÉRENCES

Abravanel, H. (dir. publ.). 1988. La culture organisationnelle: Aspects théoriques, pratiques et méthodologiques. Montréal: Gaëtan Morin.

Aktouf, O. 1986. «Une vision interne des rapports de travail: Le cas de deux brasseries». *Le travail humain*, vol. 49, no 3 (septembre), p. 238-248.

——————— . 1989. *Le management entre tradition et renouvellement*. Montréal: Gaëtan Morin.

——————— . 1990. «Symbolisme et culture d'entreprise: Des abuts conceptuels aux leçons de terrain». *Voir* Chanlat, J.-F. (dir. publ.). 1990.

Allen, V. L. 1975. *Social Analysis: A Marxist Critique and Alternative*. Londres: Longman.

Allaire, Y., et M. Firsirotu. 1988. «Révolutions culturelles dans les grandes organisations: La gestion des stratégies radicales». *Voir* Abravanel, H. (dir. publ.). 1988.

Althabe, G., B. Légé et M. Selim. 1984. *Urbanisme et réhabilitation symbolique: Ivry, Bologne, Amiens*. Paris: Anthropos.

Anthropologie et Sociétés: Travail, industrie et classes ouvrières. 1986. Vol. 10, no 1.

Anzieu, D. 1975. *Le groupe et l'inconscient: L'imaginaire groupal*. Paris: Dunod.

Aubert, N., E. Enriquez et V. Gaulejac. 1986. *Le sexe du pouvoir*. Paris: Épi.

Babin, R. 1981. «La lutte anti-nucléaire au Canada». *Sociologie et Sociétés*, vol. 12, no 1, p. 131-146.

Ballé, C. 1990. *Sociologie des organisations*. Coll. «Que sais-je?», no 2497. Paris: Presses universitaires de France.

Bélanger, P. R., et B. Lévesque. 1987. «Le mouvement social au Québec: continuité et rupture (1960-1985). In *Animation et culture en mouvement: Fin ou début d'une époque?*, sous la dir. de P. R. Bélanger, B. Lévesque, R. Mathieu et F. Midy, p. 253-266. Sainte-Foy (Qué.): Presses de l'Université du Québec.

Belle, F. 1990. «Les femmes cadres: Quelles différences dans la différence?». *Voir* Chanlat, J.-F. (dir. publ.). 1990.

Bosche, M. 1989. «Corporate culture: La culture sans histoire». *Revue française de gestion*, no 47-48 (sept.-oct.), p. 29-39.

Chanlat, J.-F. (dir. publ.). 1990. *L'individu dans l'organisation: Les dimensions oubliées*. Québec: Presses de l'Université Laval; Paris: Eska.

Clegg, S. 1989. *Frameworks of Power*. Londres: Sage.

——————— (dir. publ.). 1990. *Organization Theory and Class Analysis*. Berlin: de Gruyter.

Crozier, M. 1970. *La société bloquée*. Paris: Seuil.

Crozier, M., et J.-C. Thoenig. 1976. «The Regulation of Complex Organized Systems». *Administrative Science Quarterly*, vol. 21, no 4 (décembre), p. 547-570.

Dejours, C. (dir. publ.). 1987-1988. *Plaisir et souffrance dans le travail*. 2 t. Paris: CNRS.

Denis, H. 1987. *Technologie et société: Essai d'analyse systémique*. Montréal: Éditions de l'École Polytechnique.

Déry, R. 1990a. *La structuration du champ de la décision*. Rapport de recherche, Montréal, École des hautes études commerciales.

——————— . 1990b. *La structuration du champ de la stratégie*. Rapport de recherche, Montréal, École des hautes études commerciales.

Diray, G. 1977. «Réforme institutionnelle et fourniture des biens collectifs locaux: Une approche socio-politique». Thèse de doctorat, Québec, Université Laval.

Mintzberg, H. 1973. *The Nature of Managerial Work*. New York: Harper & Row.

Possibles: Faire l'autogestion. 1980. Vol. 4, no 3-4.

BIBLIOGRAPHIE

Oeuvres de fiction de Gilbert La Rocque

La Rocque, Gilbert. *Le Nombril* (roman). Coll. «Les Romanciers du jour». Montréal: Le Jour, 1970, 209 p.

——————— . *Corridors* (roman). Coll. «Les Romanciers du jour». Montréal: Le Jour, 1971, 214 p.

——————— . *Après la boue* (roman). Coll. «Les romanciers du jour». Montréal: Le Jour, 1972, 207 p.

——————— . *Serge d'entre les morts* (roman). Montréal-Nord: VLB, 1976, 147 p.

——————— . *Le Refuge* (théâtre). Montréal-Nord: VLB, 1979, 140 p.

——————— . *Les Masques* (roman). Coll. «Littérature d'Amérique». Montréal: Québec/Amérique, 1980, 191 p.

——————— . *Le Passager* (roman). Coll. «Littérature d'Amérique». Montréal: Québec/Amérique, 1984, 212 p.

Articles de Gilbert La Rocque

La Rocque, Gilbert. «À Rosemont». *Le Devoir*, 18 mai 1974, p. 17.

——————— . «Aux confins du Sahara, des mosquées de sable». *Perspectives*, 10 janvier 1976, p. 9-14.

——————— . «Bas les armes!». *Perspectives*, 24 janvier 1976, p. 2-4.

——————— . «Tout le monde, il médite, tout le monde, il est beau». *Le Maclean*, mai 1976, p. 15-20.

——————— . «La mesquinerie d'une insinuation». *Le Devoir*, 11 décembre 1982, p. 7.

Entrevues avec Gilbert La Rocque

Boivin, Aurélien, et Gilles Dorion. «Dossier Gilbert La Rocque». *Québec français*, no 48 (déc. 1982), p. 24-27.

Paratte, Henri-Dominique. «Entretien avec Gilbert La Rocque». *Journal de Genève*, 17 juillet 1982, p. 28.

Royer, Jean. «Gilbert La Rocque. L'édition c'est une fête». *Le Devoir*, 19 décembre 1981, p. 21, 40.

Smith, Donald. «Gilbert La Rocque et la maîtrise de l'écriture. Entrevue-témoignage». *Lettres québécoises*, no 37 (printemps 1985), p. 13-16.

Trait, Jean-Claude. «Gilbert La Rocque. Un roman par an». *La Presse*, 30 septembre 1972, p. C-3.

Études générales sur l'oeuvre de Gilbert La Rocque

Allard-Lacerte, Rollande. «Le testament de la colère». *Le Devoir*, 29 novembre 1984, p. 8.

Basile, Jean. «De nouveau avec les écrivains». *Le Devoir*, 5 août 1975, p. 12.

Dorion, Gilles. «Écrire pour arracher les masques». *Québec français*, no 48 (déc. 1982), p. 28-31.

Hamel, Réginald, John Hare et Paul Wyczynski. *Dictionnaire des auteurs de langue française en Amérique du Nord*. Montréal: Fides, 1989, p. 808-809.

Homel, David. «The Confessor: Québec/Amérique's La Rocque». *Quill & Quire*, mai 1983, p. 22.

Merivale, P. «Black Lyricist». *Canadian Litterature*, no 112 (printemps 1987), p. 124-126.

Post-Piertesse, Els. «Vers la découverte de l'identité: Les trois premiers romans de Gilbert La Rocque». *Voix et images*, vol. 3, no 2 (déc. 1977), p. 277-301.

Royer, Jean. «Littérature d'Amérique: Une collection qui grandit malgré la récession littéraire». *Le Devoir*, 12 mars 1983, p. 19.

BIBLIOGRAPHIE SÉLECTIVE

Dictionnaires et grammaires du français

Colpron, Gilles. *Dictionnaire des anglicismes*. Saint-Laurent: Beauchemin, 1982, 224 p.

Dagenais, Gérard. *Dictionnaire des difficultés de la langue française au Canada*, 2ᵉ éd. rév. aussi par Louis-Paul Béguin. Boucherville: Éditions françaises, 1984, 576 p.

De Villers, Marie-Éva. *Multidictionnaire des difficultés de la langue française*. Montréal: Québec/Amérique, 1988, 1180 p.

Grévisse, Maurice. *Le Bon Usage: Grammaire française*, 12ᵉ éd. ref. par André Goosse. Gembloux (Belg.): Duculot, 1986, 1768 p.

Hanse, Joseph. *Nouveau Dictionnaire des difficultés du français moderne*, 2ᵉ éd. mise à jour et enrich. Paris et Gembloux (Belg.): Duculot, 1987, 1032 p.

Grammaires typographiques et guide du SI

Dreyfus, John, et François Richaudeau (dir. publ.). *La chose imprimée: Histoire, techniques, esthétique et réalisations de l'imprimé*. Coll. «Les Encyclopédies du savoir moderne». Paris: Retz/CEPL, 1977, 640 p.

Guide des unités SI, 2ᵉ éd. rev. et augm. Sainte-Foy (Qué.): Centre de recherche industrielle du Québec, 1982, 188 p.

Ramat, Aurel. *Grammaire typographique*. Montréal: Aurel Ramat, éditeur, 1984, 96 p.

Canada, Secrétariat d'État. *The Canadian Style: A Guide to Writing and Editing*. Toronto: Dundurn Press, pour Approvisionnements et Services Canada, 1985, 256 p.

Canada, Secrétariat d'État, Bureau des traductions, Direction de l'information. *Guide du rédacteur de l'administration fédérale*. Ottawa: Approvisionnements et Services Canada, 1987, 218 p.

Précis de rédaction et Manuals of style

Bénichou, Roger, Jean Michel et Daniel Pajaud. *Guide pratique de la communication scientifique: Comment écrire, comment dire.* Paris: Gaston Lachurié, 1985, 268 p.

Cajolet-Laganière, Hélène, Pierre Collinge et Gérard Laganière. *Rédaction technique et administrative,* 2ᵉ éd. rev. et augm. Sherbrooke: Éditions Laganière, 1986, 352 p.

The Chicago Manual of Style: For Authors, Editors, and Copywriters, 13ᵉ éd. rév. et augm. Chicago et Londres: University of Chicago Press, 1982 (réimpr. 1989), 752 p.[1]

Létourneau, Jocelyn. *Le Coffre à outils du chercheur débutant: Guide d'initiation au travail intellectuel.* Toronto: Oxford University Press, 1989, 240 p.

Turabian, Kate L. *A Manual for Writers of Term Papers, Theses, and Dissertations,* 5ᵉ éd. rév. et augm. par Bonnie Birtwistle Honigsblum. Chicago et Londres: University of Chicago Press, 1987 (réimpr. 1989), 320 p.

Documents complémentaires utiles, publiés à l'UQAM

Biblio-Clip: Bulletin d'information du Service des bibliothèques de l'UQAM, nos 1 à 10 (janv.-févr. 1991 à mars-avril 1993) et suiv. 8 p. chacun.

Bourgault, Jacques. *Guide de recherche documentaire en matière de publications parlementaires et gouvernementales du Québec.* Montréal: Université du Québec à Montréal, 1983 (réimpr. corr. 1985), 82 p.

Bourgeois, Anne. *Citation, version 1.1: Manuel de l'utilisateur,* 2ᵉ éd. Montréal: Services des bibliothèques et Service de l'informatique de l'UQAM, 1992, 236 p.

---

[1] Cet ouvrage ainsi que celui de Kate L. Turabian, tous deux publiés aux University of Chicago Press, contiennent de nombreuses pages sur les publications gouvernementales et internationales et les documents d'archives.

INDEX